まぎらわしい文型の違いがよくわかる　75の集中レッスン！

くらべてわかる
中級
日本語表現文型ドリル

Learning through comparison　Sentence pattern drills for Intermediate Japanese expression

通过比较明白　中級日语句型练习

비교해서 안다　중급 일본어 표현문형 연습

英・中・韓 語句訳付き

Includes translations of words and phrases

附有语句翻译

어구 번역 첨부

岡本牧子・氏原庸子（大阪YWCA）共著

Jリサーチ出版

はじめに

　この本は、2010年に出版した初級編の続編です。もう一度中級の復習をしたいという人や、日本語能力試験のために勉強したいという人たちのために作りました。
　みなさんがよく間違えるところや、質問が多い項目を取り上げています。一つの文法項目の説明だけでなく、よく似たもの同士を比べて、どこがどのように違うのか、どんなときに使うのかをわかりやすく説明しています。
　もう一つの特長は、初級編と同じようにほとんどの例文が会話の形になっていることです。試験のための勉強だけではなく、毎日の生活でも、勉強したいろいろな表現を使ってコミュニケーションをしてほしいと考えたからです。
　また、練習問題もたくさんあります。説明を読んで、理解できたかどうか、練習問題で試してみてください。
　みなさんの日本語が今よりもっと上手になることを願って作った本です。文法を覚えるだけでなく、いろいろな表現に挑戦してみましょう。

岡本牧子・氏原庸子

この本の使い方

How to use this book／此书的使用方法／이 책의 사용법

● 各ユニットのタイトルです。使い分けの難しい文型や表現などを取り上げます。

These are the titles for each unit. Easily-confused sentence patterns and expressions are dealt with here.

各单元的标题。举出难以区别使用的句型及表达方式。

각 UNIT 의 타이틀입니다. 가려 쓰기 어려운 문형이나 표현등을 다룹니다.

● 最初に、簡単な問題を通して、テーマを確認します。

First, understanding of the theme of the unit is verified through a series of simple questions.

最初，通过简单的问题确认主题。

처음에 간단한 문제를 통해 테마를 확인합니다.

● 意味や使い方などの違いを表で説明します。

Differences in meaning and usage are explained through tables.

通过图表说明意义及使用方法的不同。

의미나 사용법등의 차이를 표로 설명합니다.

16 Aかける　Aそうだ

Q 桜が先に咲くと予想されるのは、公園ですか、庭ですか。

：この公園の桜はもう咲きそうですね。
：そうですね。うちの庭の桜はもう咲きかけていますよ。

どちらも「Aの成立が近い様子」を表す。「Aかける」が「すでにAの成立の段階に入っている」のに対し、「Aそうだ」は大まかで、どの段階かは示さない。

Aかける	Aそうだ
1 「Aかける」は、「Aの変化が始まること」「Aの動作を始めること」または「それらの途中であること」を表す。 ○ ボタンが取れかけている。 ○ バターがなくなりかけている。	1 「Aそうだ」は、現在の状況から「もうすぐAの状態になるだろう／かもしれない」と感じて述べた推量の表現。 ○ 今日は勝てそうだ。
2 [Q] 庭の桜は咲きかけている： 「もうすでに咲きはじめている」ことを表す。	2 [Q] 公園の桜は咲きそうだ： 桜のつぼみが膨らんでいるのを見て、もうすぐ咲くだろうと、話し手が感じた。
3 「Aかける」には、「Aという事態になる直前」という意味もある。「実際にAになる一歩手前」のときに使う。 ○ 昔、事故で死にかけたことがある。	3 「Aそうだ」は、話し手の感じ方に基づく表現。推量の表現のほか、主観的に気持ちを表現するときにも使う。 ○ 忙しくて死にそうだよ。 × 忙しくて死にかけているよ。
	4 「Aそうになる」という形もよく使う。 ○ 昔、事故で死にそうになったことがある。

POINT 「実際にAになる一歩手前」の意味の場合、「Aかける」と「Aそうだ」は、ほとんど同じ例もあれば、そうでない例もある。
○ このパソコンは、古くてもう壊れかけている。（⇒もうすぐ壊れる）
○ このパソコンは、古くてもう壊れそうだ。（⇒もうすぐ壊れる）

● 取り上げた文型や表現を使った例文を紹介します。

Examples of sentence patterns and expressions covered in the unit are introduced.

介绍使用了所举句型及表达方式的例文。

언급한 문형이나 표현을 사용한 예문을 소개합니다.

○ 燃料がもうないみたいで、火が消えかけている。(⇒もうすぐ消える)
○ 風で火が消えそうだ。(⇒いつ消えるか、消えるか消えないのか、わからない)

◆例文
① ：風邪の具合はどう？
　：もう、だいぶ治りかけているんだけど、咳がまだ止まらなくて……。
② ：先生にお礼の手紙出した？
　：いや。一回書きかけたけど、まだ。
③ ：別の封筒にしたほうがいいんじゃない？ 今にも破れそうだよ。
　：ほんとだ。ここ、破れかけている。

　　　　　練習

次の（　）のa、bのうち、文の内容に合うほうを選びなさい。

① ：今日は雨が（a. 降りそうだ　b. 降りかけている）から、傘を持っていきなさい。
　：え～、こんなに晴れてるのに？ ほんとに降るの？
② ：この（a. 飲みそうな　b. 飲みかけの）コーヒーはもう片づけていいのかなあ。
　：ああ、それはお父さんの。まだ飲むかもしれないから置いといて。
③ ：このいすの脚、こんなに細くて大丈夫かなあ。（a. 壊れそうで　b. 壊れかけて）心配……。
　：大丈夫だよ。そういうデザインなんだから。
④ ：来週の水曜日6時に駅の改札でね。
　：ちょっと待って。（a. 忘れそうだ　b. 忘れかけている）からノートに書いておくよ。
⑤ ：実は……あの……。いや、何でもない。
　：え～、ちょっと待って。（a. 言いそうで　b. 言いかけて）やめないでよ、気になるから。

● 最後に、理解を深めるための練習問題をします。

Finally, a series of practice questions helps to deepen understanding of material covered.

最后，为了加深理解来做练习题。

마지막으로 이해를 깊게 하기위해 연습문제를 합니다.

(Qの答え：庭)

もくじ

はじめに ……………………………………………………………… 3

この本の使い方 ……………………………………………………… 4

もくじ ………………………………………………………………… 6

01 **A向きだ　A向けだ** ………………………………………… 12
この本は、私より妹向きだ。／女性向けの雑誌がたくさん置いてある。

02 **Aがちだ　Aぎみだ** ………………………………………… 14
冬は空気が乾燥しがちで、火事が多くなる。／先週からちょっと風邪ぎみだ。

03 **Aがたい　Aにくい** ………………………………………… 16
忘れがたい出来事／長くて覚えにくい名前

04 **Aにくい　Aづらい** ………………………………………… 18
持ちにくいカップ／本人には言いづらいが、女優にはあまり向いていないと思う。

05 **A始める　A出す** …………………………………………… 20
雨が降り始めたから、早く帰ろう。／がまんしきれず、子供たちは笑い出した。

06 **A続ける　A通す** …………………………………………… 22
子供の時から日記を書き続けている。／そんな嘘は、隠し通すことはできない。

07 **Aつつある　Aている** ……………………………………… 24
風邪は治りつつあります。／風邪はもう治っています。

08 **Aていく　Aて帰る** ………………………………………… 26
銀行に寄って行きますので、どうぞお先に。／夕飯の材料を買って帰らないと。

09 **Aばかり　Aだらけ** ………………………………………… 28
子供の頃はマンガばかり読んでいました。／ベッドの下は、ほこりだらけだった。

10 **Aまみれ　Aだらけ** ………………………………………… 30
倉庫はとても暑く、みんな汗まみれで作業をしていた。／ごみだらけの部屋

11 **A込む　A上げる** …………………………………………… 32
野菜が柔らかくなるまで、よく煮込んでください。／1日でレポートを書き上げた。

12 **Aにしのびない　Aにたえない** …………………………… 34
思い出がたくさんあって、捨てるにしのびない。／ひどい歌で、聞くにたえない。

13 **Aている（行って/来て/帰っている）** ……………………… 36
母は買い物に行っています。／今、友達が家に来ています。／母はもう帰っています。

14	Aかねない ………………………………………………………………	38
	この書き方だと、誤解されかねない。	
15	Aわすれる　Aそこなう　Aのがす ………………………………………	40
	ハガキを出し忘れた。／忙しくて、お昼を食べ損なった。／好きな番組を見逃した。	
16	Aかける　Aそうだ ………………………………………………………	42
	私がおぼれかけた時、先生が助けてくれた。／もうすぐ雨が降りそうだ。	
17	Aっぱなし　Aどおし ………………………………………………………	44
	服を脱ぎっぱなしにしないで。／今日は朝8時から働き通しで疲れた。	
18	Aぬく　Aきる ……………………………………………………………	46
	最後まで戦い抜いて負けたのなら、しかたない。／全部使い切ってから捨てます。	
19	Aかけ　A際 ………………………………………………………………	48
	風邪はもう治りかけています。／帰り際、先生に呼び止められた。	
20	Aっけ　Aかな ……………………………………………………………	50
	お店は何時からだっけ？／お店、もう開いているかな？	
21	Aもので　Aものを ………………………………………………………	52
	すみません、知らなかったもので。／言ってくれれば、私が貸してあげたものを。	
22	Aに違いない　Aに決まっている …………………………………………	54
	彼女、風邪をひいたに違いない。／そんなことをしたら、風邪をひくに決まっているよ！	
23	Aとは限らない　Aないとは限らない ……………………………………	56
	みんなが賛成するとは限らない。／誰も反対しないとは限らない。	
24	Aてはいられない　Aずにはいられない …………………………………	58
	こんなところで待ってはいられない。／行かずにはいられない。	
25	Aわけがない　Aわけではない …………………………………………	60
	先生がそんなことを言うわけがない。／先生がそう言ったわけではない。	
26	Aないわけがない　Aないわけではない …………………………………	62
	金持ちなんだから、払えないわけがない。／安い給料だけど、払えないわけではない。	
27	Aわけではない　Aないわけではない ……………………………………	64
	金儲けをしたいわけではない。／結婚したくないわけではない。	
28	Aわけがない　Aないわけがない …………………………………………	66
	忙しい彼が、来るわけがない。／お祭り好きの彼が、来ないわけがない。	
29	Aどころではない　Aなんてものではない ………………………………	68
	忙しくて、花見どころではない。／花見なんてもんじゃない。ただの飲み会だよ。	

#	項目	ページ
30	AないこともないAないこともある	70
	たまには、会えないこともない。／たまには、会えないこともある。	
31	AからBまで　AからBにかけて	72
	今日から明後日まで休みです。／今夜からあすの朝にかけて、雪が降るそうです。	
32	AうちにB　A間にB	74
	若いうちにいろいろな経験をしなさい。／出かけている間に荷物が届いた。	
33	AたとたんB　A次第B	76
	母親の顔を見たとたん、その子は泣きやんだ。／予定が決まり次第、ご連絡します。	
34	A(する)とB　A(し)てB	78
	ここを押すと、おつりが出る。／合格できて、うれしい。	
35	AにあたってB　A前にB	80
	留学するにあたって、まず先生に相談した。／留学する前に、歯の治療をした。	
36	Aかと思うとB　AたとたんにB	82
	家に帰ったかと思うと、またすぐ出て行った。／母親の顔を見たとたん、泣きやんだ。	
37	AついでにB　AがてらB	84
	買い物のついでにハガキを出してきた。／散歩がてら図書館に寄った。	
38	Aた上でB　Aた上にB	86
	よく考えた上で申し込んでください。／泊めてくれた上にパジャマまで貸してくれた。	
39	Aに応じてB　AとともにB	88
	予算に応じていろいろな旅行プランがある。／年齢とともに食べ物の好みも変わった。	
40	AしかもB　AさらにB	90
	このホテルは安いよ。しかも、駅から2分。／試験が4科目あって、さらに面接もある。	
41	AによってはB　Aに応じてB	92
	日にちによってはだめな場合もある。／予算に応じていろいろな旅行プランがある。	
42	AといえどもB　AとはいえB	94
	社長といえども、荷物は自分で持つことになる。／初めてとはいえ、全然できなかった。	
43	AにしてはB　AにしてもB	96
	子供にしては上手だ。／冗談にしてもひどすぎる。	
44	AどころかBも　AばかりかBも	98
	ひらがなどころか漢字も読める。／電車ばかりかバスも遅れて、大変な遅刻だ。	
45	AばかりでなくBもP　AばかりかBもP	100
	英語ばかりでなく中国語も話せる。／電車ばかりかバスも遅れて、大変な遅刻だ。	

46	AたところでB　AてもB	102
	会ったところで何も話すことはない。／聞いても答えてくれない。	
47	AかぎりB　AからにはB	104
	ここにいるかぎり、安全だ。／これを知ったからには、許すことはできない。	
48	AならB	106
	京都に行くなら、秋がベストだ。	
49	AくせにB（＋「AのにB」）	108
	自分が悪いくせに、人のせいにする。／謝っているのに、許してくれない。	
50	AわりにB　AくせにB	110
	忙しいと言っているわりに、よく遊んでいる。／ひまなくせに、手伝ってくれない。	
51	AにもかかわらずB　AもののB	112
	注意したにもかかわらず、また遅刻してきた。／口では言わないものの、反対のようだ。	
52	Aせい（でB）　Aおかげ（でB）	114
	台風のせいで中止になった。／雨が降ってくれたおかげで、少し涼しくなった。	
53	AことでB　AことからB	116
	地下鉄が通ったことで、街に活気が出てきた。／問題発言をしたことから、信用を失った。	
54	AなりBなり　AたりBたり	118
	働くなり大学に行くなり／食べたり飲んだり	
55	Aわ、Bわ　Aし、Bし	120
	引っ越しはあるわ、友達の結婚式はあるわで、大変だ。／安いし、近いし、お勧めです。	
56	AずつB　AごとにB	122
	ひとり1000円ずつ払った。／半年ごとに時間割が変わる。	
57	AおきにB　AごとにB	124
	一日おきに髪を洗う。／１カ月ごとに家賃を払う。	
58	AたびにB　AごとにB	126
	試合をするたびに、けがをしている。／試合をするごとにうまくなっている。	
59	AにわたってB　Aを通してB	128
	５日間にわたって開催される。／一年を通して、過ごしやすい気候です。	
60	AなしでB　AぬきでB	130
	休憩なしで働いた。／冗談ぬきで、本当の話です。	
61	AでないとB　AだとB	132
	今日でないとだめなんですか。／明日だと間に合わないんです。	

62 Aながら(も)B ……………………………………………… 134
子供ながらも歌がうまい。

63 ついA　思わずA ……………………………………… 136
目の前にあると、つい食べてしまう。／思わず大きな声を出してしまった。

64 わざわざA　せっかくA ……………………………… 138
わざわざ持ってきてくれた。／せっかく用意したのに、むだになった。

65 何となくA　何気なくA ……………………………… 140
何となく出かける気にならなかったんです。／何気なく窓の外を見たんです。

66 さすがにA(さすが)　なるほどA(なるほど) ………… 142
一日じゅう歩いたので、さすがに疲れた。／なるほど、1万円のワインはおいしい。

67 そこそこ　ほどほど　まあまあ ……………………… 144
そこそこ楽しく暮らしている。／頑張るのもいいけど、ほどほどにね。／味はまあまあかな。

68 めったにAない　ほとんどAない ……………………… 146
100点なんて、めったにとれない。／この問題は、ほとんどわからない。

69 まだAない　まだAていない …………………………… 148
1時に約束してるから、昼食はまだ食べません。／忙しかったので、昼食はまだ食べていません。

70 Aほど　Aばかり ………………………………………… 150
3日ほど休みを取る予定です。／10分ばかり待ってくれませんか。

71 Aぶり　Aめ ……………………………………………… 152
3年ぶりに友人と会った。／就職して2年目に結婚しました。

72 Aみ　Aさ ………………………………………………… 154
あの歌手には、親しみを感じる。／広さは、東京ドームの5倍です。

73 なんでもない　なんともない ………………………… 156
このくらいの仕事なら、なんでもないよ。／風邪は、もうなんともないです。

74 申す　申し上げる ……………………………………… 158
私、田中と申します。／社長には、私から申し上げます。

75 お疲れさま　ご苦労さま ……………………………… 160
部長、出張お疲れさまでした。／暑い中、いつも配達ご苦労さまです。

まとめの問題 ……………………………………………… 162

◎別冊に、「練習」と「まとめの問題」の答え、語句の訳などがあります。

くらべてわかる
中級日本語表現文型ドリル

解説とドリル

Explanations and drills
解说和练习
해설과 연습

01 A向きだ　A向けだ

Q 女性（👤）が不動産屋（👤）と話しています。女性のために作られたのは、どちらのマンションですか。

👤：この2つだと、どっちがいいでしょうか。

👤：そうですね……「グリーンパレス」は独身女性向けのマンションです。でも、「マンション青木」もセキュリティがしっかりしているので、女性向きですよ。

 どちらも「Aに合う」という意味では同じ。「A向けだ」は「そのようにした意図」を表し、「A向きだ」は"意図"はない。

A向きだ	A向けだ
1 「Aにちょうどいい」「Aにぴったり合っている」「Aに適している」という意味。 ○ 量が少ないので、女性向きです。	1 「特にAに合うように作った」「Aのために作った」という意味。 ○ 女性向けに、カロリーが控えめです。
2 Aが適しているが、A以外も対象としている。	2 Aのためのものなので、A以外は対象としていない。
3 [Q]「マンション青木」は「女性向き」と言っている。これは「安全なので女性が住むのに適している」ということだが、男性が住んでもかまわない。	3 [Q]「グリーンパレス」は「独身女性向け」と言っている。これは「独身女性のために作られた」という意味で、独身女性以外は住めない。

例文

① 👤：Aコース以外に初心者向きのコースってどれですか。
　👤：BとCは初心者でも大丈夫ですよ。Dは中級者向け、Eは上級者向けになりますけど。

② 👤：ずっと海外で暮らしているのに、日本のことをよく知っていますね。
　👤：海外で暮らす日本人向けの番組があるんですよ。いつもそれを見ているんです。

③ 👤：春にはどんな色の服を着ればいいんでしょうか。
　👤：ピンクや黄色などの淡い色の服が春向きですね。

練習

次の（　）のa、bのうち、文の内容に合うほうを選びなさい。

❶ 18歳未満の方は、成人（a. 向き　b. 向け）の映画を見ることはできません。

❷ このレストランは量が多いから男子学生（a. 向き　b. 向け）ですね。

❸ このカレーはあまり辛くないので、子供（a. 向き　b. 向け）です。

❹ ここは女子学生（a. 向き　b. 向け）の寮ですから、男性は入れません。

❺ このワインは甘いので、どちらかと言えば女性（a. 向き　b. 向け）ですね。

❻ 日本から欧米（a. 向き　b. 向け）に左ハンドルの車が輸出されている。

❼ 年末になるとクリスマスや正月（a. 向き　b. 向け）の商品が店頭に並ぶ。

❽ これはとても激しいスポーツなので、体力に自信のある人（a. 向き　b. 向け）です。

❾ 祖母は60歳以上の高齢者（a. 向き　b. 向け）の水泳教室に通っています。

❿ あのホテルのプールは浅いので、子供や初心者（a. 向き　b. 向け）ですね。

(Qの答え：グリーンパレス)

02

Aがちだ　Aぎみ(気味)だ

Q 👤の答え方はa、bどちらがいいですか。

👤：どうしたの？　気分悪そうだけど……。
👤：a. うん……昨日からちょっと風邪がちなんだ。
　　 b. うん……昨日からちょっと風邪ぎみなんだ。

 どちらも「ある状態になろうとする様子、偏った様子」を表す表現だが、「Aがちだ」は「普段の傾向」について、「Aぎみだ」は「今の状態」について述べるもの。

Aがちだ	Aぎみ（気味）だ
1 「Aがちだ」は、「全体の中でAの割合が多い」「Aの傾向がある」「ときどきA」という意味。主に、人の行動や物の動きの「普段の傾向」について述べる。 ○ この時計は遅れがちだ。（＝遅れることが多い、ときどき遅れる） ○ 彼は学校を休みがちだ。（＝休むことが多い、ときどき休む）	1 「Aぎみだ」は、「Aの様子だ」「Aの様子が見られる」「今少しAだ」という意味。主に、人や物の「今の状態」について述べる。 ○ この時計は遅れぎみだ。（現在、少し遅れている） × 彼は学校を休みぎみだ。
2 Aには「あまりよくないこと」が来て、心配・不満・非難などの気持ちを含むことが多い。	2 Aには「よくない状態」が来て、心配する気持ちを含むことが多い。
3 [Q] 👤は「風邪を引く傾向」について言っているのではない→aは間違い。	3 [Q] 👤は「今、ちょっと風邪の状態だ」と言いたいので、bが正しい。
4 「Aがち」にはほかに、「AがちにB」の形で「Aのような様子でB」という使い方もある。 ○ 「じゃ、コーヒーを」と、彼女は遠慮がちに答えた。	

例文

① 🙋:いつごろ修理にうかがえばいいでしょうか。
　👤:そうね……今月は子供の学校行事で留守がちだから、来月がいいわ。
② 彼女はためらいがちに、その時の状況を話しはじめた。
③ 🙋:最近、血圧が少し上がり気味だから、塩分を控えるようにしているんだ。
　👤:私は最近、肌が荒れやすくて……。ビタミンが不足気味みたいだから、野菜をもっととらないと。

練習

1 （　　　）に合う動詞を□から選び、正しい形にして入れなさい。

❶ 誰でも自分の意見が一番正しいと（　　　　　）がちだ。
❷ 人を世話したことは覚えていても、されたことは（　　　　　）がちだ。
❸ 働き過ぎか。最近、ちょっと（　　　　　）気味で、電車の中でもすぐ寝てしまう。
❹ 試験が近いのに勉強があまり進まないので、娘はちょっと（　　　　　）気味だ。
❺ 宴会続きで毎晩遅くまで食べたり飲んだりしているので、最近、少し（　　　　　）気味だ。

あせる　　思う　　太る　　忘れる　　疲れる

2 次の（　　）のa、bのうち、文の内容に合うほうを選んでください。

❶ すぐにあきらめ（a. がち　b. ぎみ）になる私を、コーチがいつも励ましてくれた。
❷ ここのところ、くもり（a. がち　b. ぎみ）の天気が続いて、いやですね。
❸ 寒くなると、どうしても家にひきこもり（a. がち　b. ぎみ）になります。
❹ 一人暮らしは食生活が乱れ（a. がち　b. ぎみ）になるから、気をつけて。
❺ 初めて野球の試合を見に行った孫は、興奮（a. がち　b. ぎみ）にその様子を語った。
❻ 大勢の前で挨拶をするので、彼女は少し緊張（a. がち　b. ぎみ）だ。
❼ 昔は、何かがうまくいかないと、人のせいにし（a. がち　b. ぎみ）だった。
❽ 切れ目を入れるときは、包丁を少し浮かし（a. がち　b. ぎみ）にするといい。
❾ 最近、スキーをする人の数が、減少（a. がち　b. ぎみ）だという。
❿ つい忘れ（a. がち　b. ぎみ）になるのが、部屋の換気です。ときどき窓を開けて、空気を入れ換えましょう。

（Qの答え：b）

03 Aがたい　Aにくい

Q はお箸の使い方に慣れていないようです。はa、bどちらで言えばいいですか。

：あれ？　だめだ……箸を使うのは難しいですね。
：（a. 使いがたそう　b. 使いにくそう）ですね。フォークを使ったらどうですか。

どちらも「Aするのが難しい」という意味だが、「Aがたい」は「気持ちや心情など」、「Aにくい」は「能力や機能など」が中心。

Aがたい	Aにくい
1 「Aがたい」は、「Aしようと思っても簡単にはできない」ということを強調する表現。 ○ なぜ彼女がそんなことをしたかわかりません。説明し<u>がたい</u>です。	1 「Aにくい」は、「Aしようと思えばできる・努力をしたらできるが、Aするのが難しい」というときに使う。 ○ この漢字は複雑すぎるから、電話では説明し<u>にくい</u>。
2 ［Q］は「箸の使い方」について言っている。これは努力すればできることなので、「Aがたい」は使わない。	2 ［Q］は「は箸の使い方に慣れていないので、難しいのだろう」と思った→＜「使いにくい」＋「～そう」＞のbは正しい。
	3 「Aにくい」の反対は「Aやすい」。 ○ 発音し<u>にくい</u>⟷発音し<u>やすい</u>
	4 「Aにくい」には、「Aするのが快適ではない」という意味もある。 ○ この椅子は硬くて座り<u>にくい</u>。

POINT 言葉との結びつきを具体的に比べてみよう。

× このふた、開けがたい。	○ このふた、開けにくい。
× わかりがたい説明	○ わかりにくい説明
× 飲みがたいグラス	○ 飲みにくいグラス
○ 耐えがたい苦しみ	× 耐えにくい苦しみ
○ 故郷は離れがたいものです。	× 故郷は離れにくいものです。
○ 信じがたい話	× 信じにくい話

例文

① 👤：あの人があういうことをするとは思いませんでしたよ。
　👤：そうですね。今でも信じがたいです。
② 👤：カタカナの言葉って、覚えにくいですね。
　👤：そうですか？　でも、シンプルだから、漢字より書きやすいと思いませんか。
③ 👤：どうしてこの服、着ないの？
　👤：うーん、サイズが合ってないのか、ちょっと着にくくて。

練習

次の（　）のa、bのうち、文の内容に合うほうを選びなさい。

❶ 👤：ねえ、もう少し、前の方に座らない？
　👤：そうね。後ろの方はちょっと（a. 見がたい　b. 見にくい）ね。

❷ 👤：今、政治が混乱しているね。
　👤：うん、このままだと衆議院の解散は（a. 避けがたい　b. 避けにくい）だろうね。

❸ 👤：ねえ、さっきから何か言いたいことがあるんじゃないの？
　👤：うん、実は……。でも、そんなにじっと見られたら、（a. 言いがたい　b. 言いにくい）なあ。

❹ 👤：わあ、手がベタベタじゃないの！
　👤：だって、このソフトクリーム、（a. 食べがたい　b. 食べにくい）んだもの。

❺ 👤：夏休みの旅行、やっぱりハワイにしようよ。
　👤：うーん……。ハワイもいいけど、バリも（a. 捨てがたい　b. 捨てにくい）んだよね。

❻ 👤：英語の「L」の音って、日本人には（a. 発音しがたい　b. 発音しにくい）んだよ。
　👤：確かにね。外国人の中には、日本語の「か」と「が」の違いが（a. 聞き取りがたい　b. 聞き取りにくい）人もいるみたいだし。

（Qの答え：b）

04 Aにくい　Aづらい

Q とが子犬のことについて話しています。はa、bどちらで答えればいいですか。

：隣の人が旅行している間、子犬を預かってたんでしょ。まだいるの？
：うん、明日まで。でも、1週間飼ってたら、かわいくなっちゃって……。
　　（a. 別れにくいよ　b. 別れづらいよ）。

 どちらも「Aすることが難しい」という意味を持つが、「Aにくい」は「能力や機能など」、「Aづらい」は「感覚や感情など」が中心。

Aにくい	Aづらい
1 「Aにくい」は「Aするのが物理的に（能力的・技術的に）難しい」という意味。また、その理由が対象物にある場合が多い。 ○ このハンバーガー、大きすぎて食べにくい。	1 「Aづらい」は、「何かの抵抗や障害があってAするのが難しい」という意味。心理的な抵抗についてよく使う。その理由がAする側にある場合が多い。 ○ 子供がほしそうにじっと見ている前で、ケーキは食べづらい。
2 [Q]「別れようと努力すればできる」ことではあるが、能力的・技術的に難しいわけではない→aは不自然。	2 [Q]「子犬と別れたくない」という心理的な抵抗が（別れる側）にあるので、bが正しい。
3 Aに無意志動詞が来る場合も使う。 ○ 燃えにくい素材のカーテン ○ アイスコーヒーに砂糖を入れても溶けにくい。	3 Aに無意志動詞が来る場合は使わないことが多いが、「見える・聞こえる・わかる」には使う。 ○ わかりづらい説明 ○ 年をとって聞こえづらくなった。

POINT　両方使える場合もあるが、ニュアンスが違う。

：田中さんにお金返してもらった？
：それが、まだなんだよ。実は彼、この前、会社、クビになったらしくて。
　　こんな時に返してって、言いにくくて……。（⇒どう言えばいいか困って）
　　　　　　　　　　　言いづらくて……。（⇒かわいそうで）

🧑：早く歩いてよ。
👩：待ってよ。道が凍っているから歩きにくいのよ。
　　足が痛くて歩きづらいのよ。

例文

① 🧑：わあ、かわいいコーヒーカップ。
　 👩：ほんと。でも、ちょっと小さすぎて、持ちにくそう。
② 🧑：針に糸、通してくれる？
　 👩：いいよ。……ちょっと待ってね。この糸、太いから通しにくい。
③ 🧑：田中さんって、離婚したの？
　 👩：それが、よくわからないの。ちょっと聞きづらくて。

練習

次の（　）のa、bのうち、文の内容に合うほうを選びなさい

❶ 🧑：私がかいた地図見たら、すぐ来られたでしょ。
　 👩：ううん、わかり（a. づらかった　b. にくかった）よ。迷っちゃったよ。

❷ 🧑：この間、Aクラスに入った学生の名前、イアン・チャット・ジャヤワルデナさんだったっけ？
　 👩：確か、そうだったと思う。ちょっと覚え（a. づらい　b. にくい）ね。

❸ 🧑：それ、カセットテープ？
　 👩：うん、子供の時に親が録音してくれたんだ。雑音が入って聞き（a. づらい　b. にくい）んだけど、ぼくが歌っているんだよ。

❹ 🧑：会議が始まっているのに、どうして中に入らないの？
　 👩：遅刻しちゃったから、なんとなく入り（a. づらくて　b. にくくて）。

(Qの答え：b)

05

Aはじめる（始める）　Aだす（出す）

Q 👤と👤が田中さんと一緒に食事をしようと、田中さんを待っています。👤は、a、bどちらを使えばいいですか。

　👤：田中さん、遅いね。
　👤：うん、ほんとに遅いね。おなか空いちゃったよ。
　　　　(a. 先に食べだそうか。)
　　　　(b. 先に食べはじめようか。)

「Aはじめる」と「Aだす」は、ともに「今までAの状態でなかったものが、Aの状態になる」「Aという動き・変化・行動などが始まる」という意味。

Aはじめる（始める）	Aだす（出す）
1 「Aはじめる」は「Aという（連続する）行為が始まる」という意味。「始まってしばらくの間、Aの状態が続く」ときに使う。	1 「Aだす」も「Aという（連続する）動きや行為などが始まる」ことを表すが、「それまで溜まっていたものや留まっていたものが、急に外に出てきた感じ」を含む。
2 [Q] 👤の気持ちは、「食事を始めよう」「田中さんはそのうち来るだろう」というもの→bが正しい。	2 [Q]「食べる」ということは予想できることであり、急に行うことではない→aは使わない。
3 「Aはじめ」の形で、名詞として使うこともある。 ○ 歌い始めのところは弱く、後半は力強く歌ってください。	3 「Aだし」の形で、名詞として使うこともある。意味は「最初の部分、冒頭」。 ○ この歌は、歌い出しの部分が難しい。
	4 感情の激しい表れについて言うことが多い。 ○ 急に泣き出す、突然、怒り出す

POINT　「Aはじめる」と「Aだす」は、基本的な意味や機能は同じだが、ニュアンスが異なる。
　○ 出発のベルが鳴って、電車がゆっくり動き始めた。
　○ 止まっていた電車が急に動き出したので、びっくりした。

例文

① 🧑:試合、どう？ 日本、勝ってる？
　　🧑:2対0で負けてるよ、前半に2点入れられて。後半になってやっと攻め始めたけど、点が入るような気がしないな。
② 🧑:わっ、びっくりした。この人形、勝手に動き出したよ。
　　🧑:それ、声に反応して動く仕組みなんだよ。
③ 🧑:人がまじめに話している時に急に笑い出すなんて、失礼ね。
　　🧑:ごめん、ごめん。そんなつもりじゃなかったんだけど、おかしいことを思い出しちゃって。

練習

次の（　　）のa、bのうち、文の内容に合うほうを選びなさい。

❶ こっちは昨日の夜から（a. 降り出した　b. 降り始めた）雨がまだ止まないんです。

❷ 彼女はその話を聞いて、急にワッと（a. 泣き出した　b. 泣き始めた）。

❸ たばこを（a. 吸い出した　b. 吸い始めた）頃は、大人を気取っていただけかもしれません。

❹ 遠くで手を振る母親を見つけて、男の子は突然（a. 走り出した　b. 走り始めた）。

❺ 突然歯が（a. 痛み出して　b. 痛み始めて）、昨日はあまり眠れなかった。

❻ 競技場に現れた選手たちは、各々、場内を軽く（a. 走り出した　b. 走り始めた）。

(Qの答え：b)

06

Aつづける（続ける）　Aとおす（通す）

Q 🧑は a、b どちらを使えばいいですか。

🧑：このチームは調子がいいんでしょ？
🧑：うん。新しいシーズンに入ってから、ずっと（a. 勝ち続けている　b. 勝ち通している）からね。

どちらも「やめずにA（する）」ということを表すが、「Aとおす」の場合、終わりの時が決まっていて、「最後まで～する」という意味を含む。

Aつづける（続ける）	Aとおす（通す）
1「Aつづける」は、「Aを始めてから、それをやめることなく、ずっとAする」という意味。「Aをやめなかった」というところがポイント。 ○ 日が暮れるまでに帰りたかったので、彼はそのまま歩き続けた。	1「Aとおす」は、「Aする状態を終わりまで維持する」という意味。「最後までAする」というところがポイント。 ○ ほぼ1日かけて、約25キロのコースを歩き通した。
2 また、自動詞など意志を表さない動詞とともに使うことができる。 ○ 南極の氷は、温暖化の影響で溶け続けているらしい。	2 また、Aに無意志動詞を使うことはできない。 × 停電のため、冷蔵庫の氷は全部、溶け通してしまった。
3 [Q]「このチームがずっと負けていない」というところがポイント→aは正しい。	3 [Q]「このチームが勝つことに終わりがある」ということを言いたいのではない→bは不適当。

POINT　「Aとおす」の名詞の形「Aどおし」の場合、意味が変わる。（☞No.16）

例文

① 🧑：このゲーム、もうやめたいんだけど、最後はどうやって消せばいいのかなあ。
　👤：そのボタンを押し続けると画面が消えるよ。
② 🧑：〈テレビで〉今日は江戸時代から続く和菓子屋「ふじ屋」のご主人にお話を伺います。
　👤：……うちは二百年の間、伝統の味と製法を守り通してきました。
③ 首相は、悲惨な事故のあったその場所に、しばらくの間、立ち続けた。

練習

次の（　　）のa、bのうち、文の内容に合うほうを選びなさい。

❶ 🧑：彼、無実なのに、どうして本当のことを言わなかったんだろう？
　👤：友達を守るためにうそを（a. つき通した　b. つき続けた）らしいよ。

❷ 🧑：さっきから犬がずっと吠えてるね。
　👤：そうなの。外につながれていて、さびしいみたい。昨日の夜もずっと（a. 吠え続けて　b. 吠え通して）いたんだよ。

❸ 🧑：留学とかしてないのに、どうしてそんなに英語が聞き取れるの？
　👤：昔から英語の勉強が好きで、英語のラジオ放送をずっと（a. 聞き通して　b. 聞き続けて）いるんです。

❹ 🧑：彼は優秀なのに、なんで会社を辞めたの？
　👤：上司とぶつかったらしいね。自分の信念を（a. 貫き通した　b. 貫き続けた）結果だよ。

❺ 🧑：えっ、このデザインになったの!?
　👤：うん。ほかのメンバーはみんな反対だったんだけど、彼が（a. 押し通して　b. 押し続けて）。どうしても、これがいいみたい。

❻ 🧑：彼女、恋人が国に帰ってしまったんだってね。
　👤：うん。空港で、飛行機が見えなくなるまで手を（a. 振り通して　b. 振り続けて）いたよ。

（Qの答え：a）

07 Aつつある　Aている

Q テレビのアナウンサー（👤）が、現場にいるレポーター（👤）に聞いています。まだ咲いているのは、まるやま公園と嵐山、どちらの桜ですか。

👤：そちらの桜はどうですか。

👤：はい、残念ながら、まるやま公園の桜はもう散っています。嵐山の桜も、もう散りつつあります。

「Aつつある」は「変化の途中であること」を、「Aている」は「変化が起こったこと」を表す。

Aつつある	Aている
1「Aつつある」は、「変化の途中であること」を表す。 ※「動作の進行」を表すものではない。 ○ 今、株価は上昇しつつあります。 × 今、ご飯を食べつつあります。	1「Aている」は、Aが*瞬間動詞（動作の意味が瞬間的に成立するもの）のときは、Aが起こったあとの状態、つまり「結果の状態」を表す。
2［Q］嵐山の桜は散りつつある： 「"散る"という変化の途中であること」を表す→まだ一部咲いている。	2［Q］まるやま公園の桜は散っている： 「散ってしまったあとの状態」を表す。
*瞬間動詞 開く、閉まる、始める、始まる、終わる、決まる、つく（電気が）、置く、届く、着る、知る、止まる（車が）、消える、壊れる、落ちる、散る、立つ、倒れる、死ぬ　など	3 Aが「食べる・書く」などの動作動詞（動作の連続によって意味が成立）のときは、「Aが今現在進行している途中であること（進行中）」を表す。 ○ 今、駅の方に歩いています。

POINT　「Aつつある」を「Aている」に変えると意味が変わるものがある。「Aてきている」とすると、同じ意味になる。

○ 学校の役割も変わりつつあるんですね。〔変化の途中〕
○ 学校の役割も変わっているんですね。〔結果の状態〕
○ 学校の役割も変わってきているんですね。〔変化の途中〕

例文

① 👤：先生、娘の病状はどうでしょうか。
　👤：ご安心ください。徐々に回復に向かっていますよ。
② 👤：昨夜の雨で、川の水がかなり増えています。大丈夫でしょうか。
　👤：少しずつですが減りつつありますから、そんなに心配はいりません。
③ 👤：ずい分たくさんの写真ですね。何を撮ったものなんですか。
　👤：変わりつつあるこの町の様子を写真に残そうと思って。

練習

1 下線の「Aている」を「Aつつある」に変えた場合に、意味が変わるものに○、ほとんど変わらないものに×を書きなさい。

❶ 10年前に比べ、携帯電話の普及率は約2倍に<u>増加している</u>。（　　）

❷ 子供というものは、日々、<u>成長している</u>んですね。（　　）

❸ 少しずつですが成績が<u>伸びています</u>ので、このまま努力を続けてください。（　　）

❹ 合格通知が<u>届いている</u>人は、事務所に報告してください。（　　）

❺ 1週間入院したので、彼女の体力も正常に<u>戻っている</u>。（　　）

2 次の（　）のa、bのうち、文の内容に合うほうを選びなさい。両方合う場合は、両方選びなさい。

❶ 彼、今日会議があることを（a. 忘れていますよ　b. 忘れつつありますよ）。

❷ 私は梅田に（a. 住んでいます　b. 住みつつあります）が、お宅はどちらにお住まいですか。

❸ *人情というものが、暮らしの中から少しづつ（a. 消えている　b. 消えつつある）のは、悲しいことです。
　*人情：他人に対する優しい気持ち。

❹ もう演奏が（a. 始まっています　b. 始まりつつあります）ので、静かにお席にお着きください。

(Qの答え：嵐山の桜)

08 Aていく　Aて帰る

Q 👤は、👤の家に遊びに来ていて、今から帰るところです。そこに突然、雨が降ってきました。👤の言い方はa、bどちらが正しいですか。

👤：あっ、雨が降ってる。どうしよう、傘、持って来なかった。
👤：じゃ、この傘、（a. 持って帰って　b. 持っていって）。明日返してくれればいいから。

「Aていく」は「Aをしてから、どこかに行く」、「Aて帰る」は「Aをしてから、（家に）帰る」という使い方が基本だが、それとはちょっと違う使い方もある。

「Aていく」と「Aて帰る」

1 「Aていく」は「Aをしてから、その場所から離れる」という意味。「Aて帰る」は「（話し手が）本来いる場所（家、国など）に戻る」という意味。

2 帰る前にAするときでも、「話をしているその場やその近くでそれが成立する場合」は、"帰る"ということがあまり意識されない。そのため、「Aていく」と「Aて帰る」の両方が使える。

👤：駅前に新しく居酒屋ができたんだけど、ちょっと寄っていかない？（＝寄って帰らない？）
👤：うん、いっぱい飲んでいこうか。（＝飲んで帰ろうか）

👤：👤さん、今日、これから何か用事ある？
👤：ううん、暇だけど。
👤：じゃ、うちでご飯食べていけば？（＝食べて帰れば？）

3 逆に、「"帰る"ということが強く意識される場合」や、「帰った後にAが成立する場合」は、「Aていく」は使わない。

👤：夏休み、帰国するんでしょ？　日本のお土産、何を買って帰るの？（×買っていく）
👤：和菓子でも買って帰ろうかと思っているんだ。（×買っていこう）

4 ［Q］：「持って帰る」は「家まで持って（持ち運んで）、帰る」という意味。ここでは「傘を持って家に帰り、家で使う」のような意味になってしまい、不自然。

例文

① 👤：もう、帰るの？ じゃ、よかったら、このケーキ、息子さんに持って帰って。
　👤：ありがとう。じゃ、いただいて帰るわ。
② 👤：この本、借りていっていい？
　👤：いいけど、汚さないでよ。
③ 👤：ねえ、あれ見て。今なら入会金無料だって。今日、申し込んでいく？
　👤：そうだな。ちょっと見ていこうか。

練習

次の下線部の「Aて帰る」が「Aていく」も使える場合は、「Aていく」の形にして、（　　）に書きなさい。使えない場合は×を書いてください。

❶ 👤と👤は夫婦です。映画を見た帰りに話しています。
　👤：このデパートでワインでも買って帰って、家で飲もうよ。
　　　　　　　　　　　　（　　　　　　　）
　👤：賛成。じゃ、おいしいチーズも買って帰ろう。
　　　　　　　　　　　　　　　　（　　　　　　　）

❷ 👤と👤は学生です。二人は近所に住んでいて、今、学校の帰り道で話しています。
　👤：👤さんも同じ方向だったよね。
　👤：うん。でも私、銀行に寄って帰るから、先に帰って。
　　　　　　　　　　　（　　　　　　　）

❸ 👤は会社から、家にいる母親（👤）に電話をしています。
　👤：あ、お母さん？ 今日、帰りが遅くなるから、外で食べて帰る。
　　　　　　　　　　　　　　　　　　　　　　　　（　　　　　　　）
　👤：わかった。あんまり遅くならないようにね。

❹ 👤と👤は学生です。今、大学のキャンパスにいます。
　👤：今日はもう授業ないんでしょ？ 帰る？
　👤：いや、今日は図書館で本を借りて帰ろうと思って……。
　　　　　　　　　　　　　（　　　　　　　）

（Qの答え：b）

09 Aばかり　Aだらけ

Q 👤は、今の『Jマガジン』をいいと思っていますか。あまりよくないと思っていますか。

👤：『Jマガジン』も、いつの間にか広告だらけになったね。
👤：昔はそういう雑誌じゃなかったけどね。

どちらも「数や量が普通より多いこと」を述べる表現。「Aばかり」は「割合が多いこと」、「Aだらけ」は「嫌なものが多いこと」がポイント。

Aばかり	Aだらけ
1「全体の中でAの割合が多い」という意味。この表現にはプラスの意味もマイナスの意味もないが、Aの内容によって、プラスになったりマイナスになったりする。 ○ 今思うと、学生時代は楽しいことばかりだったなあ。 ○ あ～あ、最近、嫌なことばかり。	1「嫌なAがあまりにも多い」という意味。Aにプラスの意味の言葉を使うことは少ない。 ○ 今日は朝から嫌なことだらけで、いつもの倍疲れた。 × 今日は朝から楽しいことだらけで、気分がいい。
2 [Q] 👤が「広告ばかりなんだ」と言った場合は、「『Jマガジン』は記事などより広告のほうが多い雑誌だ」という意味になる。	2 [Q] 広告だらけになった： 「広告が増えて嫌だ」という気持ちを表している。

POINT　「Aばかり」のAには、「名詞」のほか「動詞」も使われ、「Aだけをして、ほかのことはしない」という意味。一方、「Aだらけ」のAは「名詞」だけ。

○ 彼女は僕が何を聞いても、やさしく微笑むばかりだった。
○ 寝てばかりいないで、部屋の掃除でもしたら？

例文

① 🧑:教授の家に行ったんでしょ？ どんな家だった？
　👤:大きな家で、難しそうな本ばかり置いてあったよ。
② 🧑:田中君の部屋って、どんな部屋だった？
　👤:それがさ、ごみだらけで、足の踏み場もないんだよ。
③ 🧑:あなたは嘘ばかり言うから嫌い！
　👤:そういう自分だって、いつも文句ばかりでうんざりするよ。

練習

次の（　　）のa、bのうち、文の内容に合うほうを選びなさい。

❶ 🧑:いいな、山本君は成績がよくて。A（a. ばかり　b. だらけ）なんでしょ。ぼくなんか、BとCがちょうど半分ずつだよ。
　👤:奨学金をもらってるからね。勉強しないと申し訳ないよ。

❷ 🧑:こんな誤字（a. ばかり　b. だらけ）の手紙なんか、読みたくない。
　👤:わ～、ほんとだ。しかも、汚い字。

❸ 🧑:田中さんって、子供が5人もいるんでしょ。
　👤:そうなのよ。それもみんないい子（a. ばかり　b. だらけ）。教育がいいのね。

❹ 🧑:たまには勉強しなさい！ 毎日、ゲーム（a. ばかり　b. だらけ）して。
　👤:わかってるって。うるさいなあ。

❺ 🧑:最近、娘に子供が生まれたり、息子が結婚したりで忙しいんです。
　👤:それは、それは。めでたいこと（a. ばかり　b. だらけ）でうらやましいですね。

(Qの答え：あまりよくないと思っている)

10 Aまみれ　Aだらけ

Q は困っています。a、bどちらの言い方が正しいですか。

：みんな、外で靴の泥をよく落としてから入ってくれよ。
　a. あ～あ、玄関が泥だらけだ。
　b. あ～あ、玄関が泥まみれだ。

「Aまみれ」も「Aだらけ」も「Aがいっぱいの様子」を表す言葉で、両者の違いはほとんど感覚的なもの。

Aまみれ	Aだらけ
1 「Aまみれ」は「何かの表面が全体的に汚いものやよくないものなどで覆われている様子」を表し、それに対する否定的な気持ちを含む事が多い。「(きれいに落ちにくいものが) 表面に付いたり浸み込んだりしている感じ」がある。	1 「Aだらけ」は「何かがAでいっぱいになっている様子」を表し、それに対する否定的な気持ちを含む。
2 ［Q］玄関が泥まみれだ：「玄関」でなく「*玄関マット」などであれば、「泥まみれ」も使える。 *玄関マット：靴の汚れを落とすため玄関に敷く物。	2 ［Q］玄関が泥だらけだ：「(みんなが泥靴のまま入るので) 玄関が泥でいっぱい」という状態を言いたいので、正しい言い方。

▶POINT

(1)「Aだらけ」は「A自体が嫌でなくても、それがたくさんあるのはよくない」と感じるときの表現。
　○ みんな甘いものは好きだけど、甘いものだらけというのもねえ……。ポテトチップとかせんべいとかも用意したほうがいいよ。

(2) また、「Aがたくさんで、嫌だ」と感じていなくても、冗談のように使う場合もある。
　○ うちの職場は美人だらけで、若い者が仕事に集中できなくて困るんですよ。

(3)「Aまみれ」のAは抽象的なものにも使う。
　○ 少年は嘘まみれの社会に嫌気がして、創作の世界に深く入り込むようになった。

> 例文

①そんなしわだらけのスーツで会社に行くの⁉ ちょっと待って、アイロンかけるから。
②血まみれになった座席のカバーが、事故の激しさを物語っていた。
③タンスの裏からほこりまみれの古い写真が出てきた。
④🧑：朝から晩まで汗まみれになって働いて、こんな給料しかもらえないなんて……。嫌になるよ。
　🧑：ほんとだよな。人生、つらいことだらけだよ。

練習

次の（　　）のa、bのうち、文の内容に合うほうを選びなさい。

❶🧑：レポート書いたから、ちょっと見てくれない？
　🧑：……内容は悪くないと思うけど、誤字（a. だらけ　b. まみれ）じゃないか。だめだよ、こんなので出したら。

❷🧑：タンカーの事故のニュース、見た？
　🧑：うん。あの辺、きれいな海なのに油（a. だらけ　b. まみれ）になってたね。それに海鳥が油（a. だらけ　b. まみれ）になっていて、すごくかわいそうだったよ。

❸🧑：先生は、A党から出されたこの新しい法案をどう思いますか。
　🧑：国民の負担が増えるだけで、問題（a. だらけ　b. まみれ）の法案だと思います。

❹🧑：あの女優、もうすぐ離婚するって、ネットの掲示板に書いてあったよ。
　🧑：ネットの情報なんて、嘘（a. だらけ　b. まみれ）なんだから、信用するもんじゃないよ。

(Qの答え：a)

11 Aこむ（込む）　Aあげる（上げる）

　🅰はa、bどちらを使えばいいですか。

🅰：このスープ、おいしい。
🅰：うん、よく （a. 煮こんで / b. 煮あげて） あるから、味に深みがあるし、肉も柔らかいね。

 どちらも「十分にAする」という意味を持つが、「Aこむ」は「深くAする」ことを、「Aあげる」は「完成するまでAする、Aして完成させる」ことを表す。

Aこむ（込む）	Aあげる（上げる）
1「Aこむ」は、「何度も何度もAする」「一つのことを深くAする」という意味。 ○ 廊下はよく磨き込まれていた。 ○ 選手たちは、毎日何キロも走り込んで、体を鍛えていた。 × 彼女は三人の子供を立派に育て込んだ。	1「Aあげる」は、「Aをして完成させる」という意味。 ○ これこそ、磨き上げた職人の技だ。 × 選手たちは、何キロも走り上げて、体を鍛えていた。 ○ 彼女は三人の子供を立派に育て上げた。
2［Q］🅰「スープはよく煮てある」→「味がおいしくなっている、肉も柔らかくなっている」という見方。したがって、aは正しい。	2［Q］🅰「二人が食べているスープが完成していること」を言いたいのではない→bは間違い。
3 ほかに「Aの状態を続ける」「完全にA」という意味でも使う。 ○ 先生に質問された学生は、答えに困り、考え込んでしまった。 ○ 彼女は、代表選手に選ばれなかったショックで寝込んでしまった。	3「Aあがる」の場合は、（ⅰ）「Aが完成する」、（ⅱ）「程度が限度に達する」「すっかり～する」という意味。 （ⅰ）ご飯が炊き上がったようだ。 （ⅱ）出発当日は、降り続いていた雨も止み、空はきれいに晴れ上がった。

例文

① 👤：この新人作家、若いけど力があるね。
　👤：うん。町の情景や人物が細かいところまで書き込まれているよね。
② 👤：昨日はずいぶん遅くまで話し込んでいたね。どうしたの？
　👤：実は、うちの課でちょっとした問題が起きちゃって。それで、対策を練っていたんだよ。
③ 👤：このプロジェクトの目的は何ですか。
　👤：先人たちが作り上げた伝統文化を知り、守っていくことです。

練習

次の（　）のa、bのうち、文の内容に合うほうを選びなさい。

❶ 👤：今日も寒いね。
　👤：ほんと。朝晩は（a. 冷え込む　b. 冷え上げる）ねぇ。

❷ 👤：週末、ゴルフに行かない？
　👤：行きたいけど、この報告書、来週までに（a. まとめ込まないと　b. まとめ上げないと）いけないんだ、ごめん。

❸ たった2週間でこれだけの原稿を（a. 書き込む　b. 書き上げる）なんて、先生はやっぱりすごいですね。

❹ 👤：うちの犬、「待て」ができなくて困ってるんだ。すぐに吠えるし。
　👤：それは飼い主の責任だよ。我慢強く（a. 教え込む　b. 教え上げる）しかないよ。

❺〈面接で〉学生時代に（a. 打ち込んだ　b. 打ち上げた）ことについて、話してください。

❻ 👤：そのセーター、自分で編んだんでしょ。大体どれくらいでできるものなの？
　👤：そうねえ……これは、全部（a. 編み込む　b. 編み上げる）のに2カ月くらいだったかな。

(Qの答え：a)

12 Aにしのびない　Aにたえない

Q はa、bどちらを使えばいいですか。

- ：テレビで国会を見ていると、議員たちが（a. 聞くにたえない　b. 聞くにしのびない）ほどのひどい*ヤジを飛ばしているね。
- ：ほんとにそうだね。あれが国民の代表かと思うと情けないよ。

*ヤジ：誰かに対して、離れた所から非難や悪口を言うこと。

 どちらも「ひどくてAできない」という意味を持つが、「Aにしのびない」は「感情的な理由で、できない」ことを表す。

Aにしのびない	Aにたえない
1「Aにしのびない」は、「対象への"かわいそうだ、惜しい、もったいない"などの気持ちからAができない」ということを表す。 ○ かつて自分が通った校舎が壊されるのは、見るに忍びない。	1「Aにたえない」は、「状況がとてもひどくて、Aできない」という意味。 ○ 交通事故の現場は、見るにたえないほど悲惨な状況だった。
2［Q］話題になっているのは国会議員のヤジであり、は彼らに対して「かわいそうだ」という気持ちを持っていない→bは間違い。	2［Q］は「国会という場で議員たちがヤジを飛ばしている状況がひどい」と思っている→aが正しい。
	3 Aが名詞の場合は、「とても〜で、Aを抑えられない」という意味。主に慣用的な表現として使われる。 ○ 喜び／驚き／怒り／感謝（の念）にたえない

例文

① 🧑:おばあさま、亡くなられたんですって。
　👤:ええ。今、部屋の整理をしているんだけど、つまらないものでも捨てるにしのびなくって……。

② 🧑:インターネットの掲示板は、あまり見ないようにしてるよ。人を傷つけるようなことを平気で書く人がいるからね。
　👤:そうだね。ああいうのは読むにたえないよね。

③〈お礼のあいさつ〉おかげさまで、この店も何とか10周年を迎えることができました。皆様には、開店以来、お力を貸していただき、感謝の念にたえません。これからも、どうぞよろしくお願いいたします。

練習

次の（　　）のa、bのうち、文の内容に合うほうを選びなさい。

❶ 🧑:その立派な桜の木、切ってしまうの？
　👤:切るに（a. しのびない　b. たえない）んだけど、道路を広げるためにって市から依頼があって……。

❷ 🧑:この映画、見ない？
　👤:それはいや。人殺しのシーンばかりで、（a. 見るにしのびない　b. 見るにたえない）って聞いたから。

❸ 🧑:このバンドがどうして人気があるのかわからないよ。演奏は下手だし、曲はつまらないし。
　👤:そうだよね。ほんと、聴くに（a. しのびない　b. たえない）よね。

❹ 🧑:「さっぽろ雪まつり」の作品って、どれもすごいよね。とても雪で作っていると思えない。
　👤:でも、終わったら全部、壊されるんでしょ。あれは壊すに（a. しのびない　b. たえない）よねぇ。

❺ 🧑:あの小学校で20年も教えてたんだ。長かったね。
　👤:うん。最後は子供たちに「行かないで」って泣かれてね。去るに（a. しのびなかった　b. たえなかった）よ。

(Qの答え：a)

13

Aている（行っている／来ている／帰っている）

Q 田中さんは今、👤の家にいますか、それとも、来る途中ですか。

👤：もしもし、田中さんは？
👤：ああ、今、来ているよ。

「Aている」は、（1）「今、ご飯を食べている」のように「動作が進行している状態」を表すものと、（2）「めがねをかけている」のように「動作をしたあとの結果の状態」を表すもの、がある。「行く」「来る」「帰る」について見てみよう。

Aている（行っている／来ている／帰っている）

1 「行く」「来る」「帰る」に「ている」が付くと、「動作をしたあとの結果の状態」を表す。

2 [Q] 今、来ている：
「もうすでに👤の家に来て、そこにいる状態」を表す。次の「帰る」「行く」の例も同じ。

👤：お父さんは？
👤：帰っていますよ。（＝お父さんはすでに家に帰った。家にいる）

👤：田中さん、いますか。
👤：今、出張で北海道に行っています。（＝北海道に行った。北海道にいる）

POINT 「行く／来る／帰る」の途中の状態なら、次のように言う。
① [目的地] ＋に向かっている
② 行く／来る／帰る＋途中だ

👤：さっき、注文したピザ、まだ来ないんだけど。
👤：すみません。今、そちらに向かっています。（＝行く途中だ）

例文

① 👤：明日のアルバイト、代わってくれない？
　👤：今、国から両親が来ているから、明日は無理。ごめん。
② 👤：もしもし、太郎君、いますか。
　👤：今、塾に行っているのよ。8時には帰ると思うけど。
③ 👤：今晩、家に電話するよ。何時ごろ帰る？
　👤：6時には帰っていると思うけど。帰ったら、こっちからかけるよ。

練習

次の（　　）のa～cのうち、どれが正しいですか。正しいものを一つ選びなさい。

❶ 👤：先週、何度か電話したけど、留守だったね。忙しかったの？
　👤：ごめん、ごめん。1週間、国に（a. 帰った　b. 帰っていた　c. 帰っている）んだよ。

❷ 👤：田中部長と10時にお約束しているんですが……。
　👤：申し訳ございません。田中は間もなく（a. 戻る　b. 戻っている　c. 戻っていた）と思いますので、そちらのいすにかけてお待ちいただけますか。

❸ 👤：近くに用があったので、2時頃、そちらに寄ってみたんです。お留守で残念でした。
　👤：そうでしたか。ちょうど（a. 外出した　b. 外出していた　c. 外出する）んです。

❹ 👤：ずいぶん部屋が散らかっているじゃない。
　👤：うん、さっきまで友達が（a. 来た　b. 来ている　c. 来ていた）んだ。

❺ 👤：空港で足止めになったんですか。
　👤：そうなんです、台風で。ちょうど沖縄に旅行に（a. 行った　b. 行っている　c. 行ってた）んですよ。

(Qの答え：👤の家)

14 Aかねない

Q 次の😐の答えは、どちらが正しいでしょうか。

😐：課長、明日の出張は2時の新幹線でいいですか。
😐：a. 2時出発だと、会議に間に合いかねないな。
　　 b. 2時出発だと、会議に遅刻しかねないな。

「Aかねない」は「Aかもしれない」というような意味で、Aには「失敗や不注意による望ましくない結果や、よくない傾向」が来る。

Aかねない
1 「Aかねない」は「Aかもしれない」「Aの可能性がある」という不安や心配な気持ちを表す表現。
2 ［Q］aが「間に合う」という「いい結果」、bが「遅刻するかもしれない」という「望ましくない結果」なので、bが正しい。
3 「Aかねない」は、「自分の意志を表す表現」には使えないが、「自分の力でコントロールできない」ことには使える。 😐：このままだと、彼女は病気になりかねないよ。 😐：そうですね。少し負担を減らしたほうがいいですね。
4 「信じられないことが起こるかもしれない」というときに使うこともある。この場合のAは「望ましいこと」でもいい。 😐：今の調子でいくと、うちのチームが優勝しかねないよ。 😐：ほんとだね。そうなったらいいなぁ。

例文

① 🧑：彼一人にこの仕事を任せておいたら、プロジェクトが失敗しかねないから、助けてやってくれ。
　👤：はい、わかりました。
② 🧑：よくできた食品サンプルだね。
　👤：ほんと。これじゃ、誰だって、食べようとしかねないね。
③ 🧑：このまま悪い数値が続けば、入院というようなことにもなりかねないですよ。
　👤：えっ、本当ですか!?

練習

下線部の「Aかねない」の使い方が正しいものに○、正しくないものに×を書きなさい。

❶（　　　）
　🧑：たばこをやめてから、何を食べてもおいしくて。
　👤：それはいいんだけど、そんなに食べてばかりいると太りかねないわよ。

❷（　　　）
　🧑：最近の子供は、あまり叱るとやる気をなくしかねないんですよ。
　👤：そうですね。ちょっと気をつけます。

❸（　　　）
　🧑：最近、運がついてきたみたいなんだ。
　👤：じゃ、宝くじ買ってみれば？　当たりかねないよ。

❹（　　　）
　🧑：まったく！　誰がこんなふざけたいたずらをしたんだろう。
　👤：太郎君じゃない？　あの子ならやりかねない。

❺（　　　）
　🧑：あいつに計算させても大丈夫？　間違いかねないよ。
　👤：簡単な計算だから、彼でも大丈夫よ。

❻（　　　）
　🧑：また、失敗しちゃったよ。どうしよう……このままじゃ会社をクビになりかねない。
　👤：心配するなよ。誰だって失敗はするんだから。

❼（　　　）
　🧑：毎日暑いね。
　👤：うん。こんなに暑いと、学校を休みかねないよ、ぼく。

(Qの答え：b)

15 Aわすれる　Aそこなう　Aのがす

Q 会社の同僚が話しています。a～cのうち、どれが正しいですか。

- ：あれ？　今ごろ、昼ごはん？　もう3時半だよ。
- ：うん、そうなんだ。ちょうど昼に会議があって、昼ごはんを（a. 食べわすれた　b. 食べそこなった　c. 食べのがした）から。

「Aわすれる」「Aそこなう」「Aのがす」の間で共通する点、異なる点を整理しよう。

「Aわすれる（忘れる）」「Aそこなう（損なう）」「Aのがす（逃す）」

A忘れる	1）Aすることを忘れる ○ テストに名前を書き忘れた。 2）Aしたまま、忘れる ○ 電車の網棚に書類を置き忘れた。
A損なう	1）間違ってAする ○ 手紙の宛名を書き損なった。 2）Aする機会を失う ○ 10時の新幹線に乗り損なった。 なお、「見損なう」は「見誤る」、つまり「評価を誤る」の意味。 ○ 彼があんな冷たい人だったとは。見損なったよ。 × その番組、見たかったんだけど、うっかり見損なったよ。
A逃がす	1）ついうっかりして、Aしない／Aする機会を失う ○ 試合、8時からだと思ってた。楽しみにしてたのに見逃しちゃったよ 2）気づいていたが、（注意せずに）そのままで済ます ○ 今回は見逃してあげよう。 ※「のがす」は、「みる」「きく」「とる（撮る）」以外では、あまり使わない。

[Q] ♟が言いたいのは「忙しくて、ご飯を食べる機会を失った」ということ→「食べ損なった」bが正しい。

例文

① 🧑：昨日も教授に会いに行ったのに、今日もまた行くの？
　👤：うん、昨日、<u>聞き忘れた</u>ことがあって。

② 🧑：ねえ、この問題の答えって、何？
　👤：ぼくもわからないんだよ。授業の後、聞こうと思ったんだけど、先生、すぐ教室を出て行ったから、<u>聞き損なった</u>んだよ。

③ 🧑：ねえ、昨日の先生、今日テストするって、言ったっけ？
　👤：言ったかもしれないけど、<u>聞き逃しちゃった</u>のかな。

練習

次の（　　）に、「わすれる」「そこなう」「のがす」の中から最も適当なものを選び、文に合う形にして書きなさい。

❶ 🧑：8月2日のコンサートのチケット、買えた？
　👤：一応買えたけど、遅かったから、S席は取り（　　　　　）ちゃって、A席しか買えなかったんだ。

❷ 🧑：昨日の火事、何が原因だったのかなあ。
　👤：家の人が鍋に火をかけたまま出かけたみたい。
　🧑：ああ、火を消し（　　　　　）たんだ。

❸ 🧑：次の急行に乗り（　　　　　）たら、約束の時間に間に合わなくなると思う。
　👤：じゃ、ちょっと走ったほうがいいですね。

❹ 🧑：先生、原稿用紙をもう1枚いただけませんか。
　👤：また、書き（　　　　　）たんですか。ゆっくり落ち着いて書いてください。

❺ 🧑：部長の病気、肺ガンなんでしょ。でも、毎年、健康診断していたのに、どうして見つからなかったんだろう？
　👤：それがね、レントゲンにも写りにくい場所で、医者も見（　　　　　）てしまったらしいよ。

❻ 🧑：あの教授、もう少し大きい声で話してくれないかなあ。
　👤：ほんと、大切なことを聞き（　　　　　）そうで、こわいよね。

（Qの答え：b）

16 Aかける　Aそうだ

Q 桜が先に咲くと予想されるのは、公園ですか、庭ですか。

- A：この公園の桜はもう咲きそうですね。
- B：そうですね。うちの庭の桜はもう咲きかけていますよ。

どちらも「Aの成立が近い様子」を表す。「Aかける」が「すでにAの成立の段階に入っている」のに対し、「Aそうだ」は大まかで、どの段階かは示さない。

Aかける	Aそうだ
1 「Aかける」は、「Aの変化が始まること」「Aの動作を始めること」または「それらの途中であること」を表す。 ○ ボタンが取れかけている。 ○ バターがなくなりかけている。	1 「Aそうだ」は、現在の状況から「もうすぐAの状態になるだろう／かもしれない」と感じて述べた推量の表現。 ○ 今日は勝てそうだ。
2 ［Q］庭の桜は咲きかけている： 「もうすでに咲きはじめている」ことを表す。	2 ［Q］公園の桜は咲きそうだ： 桜のつぼみが膨らんでいるのを見て、もうすぐ咲くだろうと、話し手が感じた。
3 「Aかける」には、「Aという事態になる直前」という意味もある。「実際にAになる一歩手前」のときに使う。 ○ 昔、事故で死にかけたことがある。	3 「Aそうだ」は、話し手の感じ方に基づく表現。推量の表現のほか、主観的に気持ちを表現するときにも使う。 ○ 忙しくて死にそうだよ。 × 忙しくて死にかけているよ。
	4 「Aそうになる」という形もよく使う。 ○ 昔、事故で死にそうになったことがある。

POINT　「実際にAになる一歩手前」の意味の場合、「Aかける」と「Aそうだ」は、ほとんど同じ例もあれば、そうでない例もある。

- ○ このパソコンは、古くてもう壊れかけている。（⇒もうすぐ壊れる）
- ○ このパソコンは、古くてもう壊れそうだ。（⇒もうすぐ壊れる）

{ 　○ 燃料がもうないみたいで、火が消えかけている。（⇒もうすぐ消える）
　○ 風で火が消えそうだ。（⇒いつ消えるか、消えるか消えないのか、わからない）

> **例文**

① 🧑：風邪の具合はどう？
　👤：もう、だいぶ治りかけているんだけど、咳がまだ止まらなくて……。

② 🧑：先生にお礼の手紙出した？
　👤：いや。一回書きかけたけど、まだ。

③ 🧑：別の封筒にしたほうがいいんじゃない？　今にも破れそうだよ。
　👤：ほんとだ。ここ、破れかけている。

練習

次の（　　）のa、bのうち、文の内容に合うほうを選びなさい。

❶ 🧑：今日は雨が（a. 降りそうだ　b. 降りかけている）から、傘を持っていきなさい。
　👤：え〜、こんなに晴れてるのに？　ほんとに降るの？

❷ 🧑：この（a. 飲みそうな　b. 飲みかけの）コーヒーはもう片づけていいのかなあ。
　👤：ああ、それはお父さんの。まだ飲むかもしれないから置いといて。

❸ 🧑：このいすの脚、こんなに細くて大丈夫かなあ。（a. 壊れそうで　b. 壊れかけて）心配……。
　👤：大丈夫だよ。そういうデザインなんだから。

❹ 🧑：来週の水曜日6時に駅の改札でね。
　👤：ちょっと待って。（a. 忘れそうだ　b. 忘れかけている）からノートに書いておくよ。

❺ 🧑：実は……あの……。いや、何でもない。
　👤：え〜、ちょっと待って。（a. 言いそうで　b. 言いかけて）やめないでよ、気になるから。

(Qの答え：庭)

17 Aっぱなし　Aどおし

Q 遠足から帰ってきた子供とお母さんが話しています。a〜dの言い方は、どれが正しくて、どれが間違っていますか。

👦：ただいま。3時間歩き（a.っぱなし　b.どおし）で足も痛くなっちゃった。

👩：お帰り。……ちょっと！　靴下は脱ぎ（c.っぱなし　d.どおし）にしないで洗濯機に入れてよ、もう！

📓 どちらも「ずっと〜する」〔継続〕という意味を持つが、「Aっぱなし」には「そのままにする」〔放置〕という意味もある。

Aっぱなし	Aどおし
1 「Aっぱなし」には、（1）「Aという動作のあと、（期待されたことが行われず）そのままの状態だ」〔放置〕と、（2）「Aという動作が続いている状態」〔継続〕の二つの意味がある。	1 「Aどおし」は、「Aという動作や状態が、ずっと（止まらずに／何度も繰り返されて）続く」という意味。〔継続〕
2 ［Q］👦が言いたいのは「3時間歩く状態が続いた」ということ→aは正しい。	2 ［Q］👦が言いたいのは「3時間歩くという動作が続いた」ということ→b「歩きどおし」は正しい。
3 ［Q］👩が言いたいのは「脱いだ靴下は洗濯機に入れてほしい→そのままにするな」ということ→cは正しい。	3 ［Q］👩は「脱ぐという動作が続くこと」を言っているのではない→dは間違い。

POINT　(1)「Aっぱなし」のAは「瞬間的に動作が完了するもの（瞬間動詞）」が多く、「Aどおし」のAは「継続して行われる動作（継続動詞）」が多い。

　　○ つけっぱなし（電気を）、置きっぱなし、座りっぱなし

　　○ 泣きどおし、緊張しどおし、働きどおし

(2)「Aっぱなし」は継続動詞でも使う。

　　○ 歩きっぱなし、泣きっぱなし

(3)「Aっぱなし」が「放置」の意味になるか、「継続」の意味になるかは文脈による。

　　○ 夫は食べたら食べっぱなしで、片づけてくれない。〔放置〕

　　○ 正月は朝から晩までほとんど食べっぱなしで、太っちゃった。〔継続〕

例文

① 👤：窓、閉めてくれよ。開けっぱなしにしていたら、寒いじゃないか。
　 👤：でも、ずっと閉めっぱなしだったから、換気しないと……。
② 👤：息子さん、就職なさったんでしょ。おめでとう。
　 👤：それが、朝から晩まで働きどおしで、体のことが心配で……。
③ 👤：市長があんな発言をしたから、役所は朝から抗議の電話が鳴りっぱなしなんだって。
　 👤：職員も大変ね。ずっと謝りどおしなんでしょ。

練習

1 次の（　　）のa、bのうち、文の内容に合うほうを選びなさい。両方合う場合は、両方選びなさい。

❶ 👤：今朝の電車は込んでたな。2時間立ち（a. っぱなし　b. どおし）で疲れたよ。
　 👤：そうね。それにさっきの男性、お年寄りが乗ってきたのに、座席に荷物を置き（a. っぱなし　b. どおし）にして空けなかったでしょ。腹が立った。

❷ 👤：この本を読んだのは誰？　出し（a. っぱなし　b. どおし）にしないで、棚に戻しておいてよ。
　 👤：すみません、今やります。

❸ 👤：あのタレント、ほんと、よくしゃべるね。あんなにしゃべり（a. っぱなし　b. どおし）で疲れないのかなあ。
　 👤：それに発言が無責任じゃない？　言いたいことを言い（a. っぱなし　b. どおし）で、後は知りませんっていう感じで。私は好きじゃないな。

2 次の下線部の意味が「放置」の場合はa、「継続」の場合はbを入れてください。

❶（　　）一晩中、泣きっぱなしで、目が真っ赤になってしまった。
❷（　　）電気はつけっぱなしにしないで、使わないときは消してください。
❸（　　）選挙は半年前に終わったのに、選挙ポスターがまだ貼りっぱなしになってるね。
❹（　　）あの家、留守かなあ。昨日からずっと洗濯物が干しっぱなしになってる。
❺（　　）新聞を読んだら読みっぱなしにしないで、片づけてよ。

(Qの答え：正しいのはa、b、c)

18 Aぬく　Aきる

Q 😀の答えはa、bのどちらが正しいですか。

　👤：昨日は残念だったね。試合に負けてしまって。
　😀：うん。でも、力を（a. 出しぬいた　b. 出しきった）から満足してる。

📓 どちらも「最後までする」という意味を持つが、「Aぬく」は過程に、「Aきる」は結果に、より注目した表現。

Aぬく（抜く）	Aきる（切る）
1 「Aぬく」は、「簡単にはできないAを最後まで頑張って達成する」というときに使う。 ○ 今日の試合、苦しかったけど、なんとか1点を守り抜いて勝ったよ。 「努力したり耐えたりしてAする」ところ（過程）に重点が置かれる。 × 42.195キロなんて距離、走り抜けませんよ。 ○ 足が痛かったが、なんとか20キロを走り抜いた。	1 「Aきる」は、「残さず全部をA」「完全にA」というときに使う。 ○ 結婚式は、レストランを借りきって行います。 「最後までAして終わる」というところ（結果）に重点が置かれる。 ○ 42.195キロなんて距離、走りきれませんよ。
2 「徹底的にAした結果の状態」を表すときにも使う。 ○ 職人の磨き抜かれた技に驚いた。 × 祖父は弱り抜いていたので、水も飲めなかった。	2 「限界の状態に到達すること」を表す。 ○ 冷え切った体で夫は帰ってきた。 ○ 犬は弱りきっていたので、水も飲めなかった。
3 [Q]「力を全部出した」ということを言いたいのだが、過程を説明しているのではないので、「ぬく」を使うことはできない。	3 [Q] 😀は「力を全部出して終わったから満足している」と言っている→bは正しい。

例文

① 🧑：難しい交渉をよくまとめたね。
　 👤：うん。大変だったけど、なんとか粘り抜いたって感じ。
② 🧑：夏休み、子供たちだけで旅行に行かせるの？
　 👤：子供たちには、どんな状況になっても、たくましく生き抜いてほしいからね。
③ 🧑：あの神社の大木、倒れてしまったんだってね。
　 👤：うん、昨日の風には耐えきれなかったんだね。

練習

次の（　　）のa、bのうち、文の内容に合うほうを選びなさい。

❶ 🧑：今のビジネス社会を（a. 生き抜く　b. 生ききる）ためには何が必要ですか。
　 👤：そうだなあ……情報を早くつかんで、それをしっかり生かすことかな。

❷ 🧑：さあ、どんどん飲んでね。
　 👤：ちょっと待って。ビールをつぐのは、全部（a. 飲み抜いて　b. 飲みきって）からにしてくれる？

❸ 🧑：あの夫婦、やっぱり離婚するのかな。
　 👤：うん。二人の関係は（a. 冷え抜いて　b. 冷えきって）いるらしいよ。

❹ 🧑：テレビでコマーシャルしてた、あのシャンプー、買って。
　 👤：いいけど、今のを（a. 使い抜いて　b. 使いきって）からね。

❺ 🧑：じゃ、その男の子、一人で3日間も山の中にいたんだ。
　 👤：そう。子供なのに、よくこの寒さを（a. 耐え抜いた　b. 耐えきった）よね。

（Qの答え：b）

19 Aかけ　Aぎわ（際）

Q 🙎は a、b どちらを使えばいいですか。

🙎：風邪、引いていたの？
🙍：うん。でも、もう（a. 治りかけ　b. 治りぎわ）なんだ。

📓 どちらも「次の動作や状態に移る前」という意味。「Aかけ」が「途中」、「Aぎわ」が「直前」「手前」のニュアンスが強い。

Aかけ	Aぎわ（際）
1 「Aかけ」は、動詞（ます形）に付き、「Aという動作の途中であること」を意味する。 ○ 飲みかけのコーヒーが置いてあるけど、誰のかな？（＝まだ飲み終わってない、飲んでいる途中のコーヒー）	1 「Aぎわ」は、動詞（ます形）や名詞に付き、「Aという動作のぎりぎり直前」「あと少しでAになるところ」「Aの手前」などを意味する。 🙎：あの選手、力が落ちたね。 🙍：人間は引き際が大切だからね、もう引退したほうがいいんじゃないかな。 🙎：空いてるね。どこに座る？ 🙍：景色を見たいから、窓際の席がいいな。
2 ［Q］「治りかけ」は「風邪が治りはじめている状態」を意味するので、a が正しい。	2 ［Q］「治りぎわ」だと、「治るぎりぎり直前」のような意味になるが、自覚できるものではない→bは間違い。
3 「Aかけ」に似た「Aがけ」は、「行く・来る・帰る」の動詞に付いて、「Aの途中、ついでに」という意味を表す。 🙎：会社の帰りがけに、今度行くレストラン、予約しておいて。 🙍：うん、わかった。	3 「際」が動詞の辞書形やた形に付くときは「さい」と読み、「～とき」の意味になるので注意。 ○ 大阪に行く際は、いつもそのホテルを使っています。

例文

① 🧑：この壊れかけのテーブル、もう捨ててしまいましょうよ。
　 🧑：え〜、まだ使えるのに。
② 🧑：今日、電車の網棚に書類を置き忘れそうになっちゃったよ。降り際に気がついたから、よかったけど。
　 🧑：危なかったね。気をつけないと。
③ 🧑：昨日の映画、よかったね。特に最後。別れ際にあんなことを言われると、泣いちゃうな。
　 🧑：そうだね。でも、現実はあんなにかっこよくないよ。

練習

次の（　）のa、bのうち、文の内容に合うほうを選びなさい。

❶ 石けんを使ったあとは、髪の生え（a. かけ　b. ぎわ）までよく洗い流すようにしてください。

❷ 🧑：このビスケット、お子さんにどうですか。食べられます？
　 🧑：いえ、まだ歯が生え（a. かけ　b. ぎわ）なんです。もうちょっとしないと。

❸ 🧑：桜の花って咲いている時もきれいだけど、散る時もきれいだね。
　 🧑：そうだね。昔から、散り（a. かけ　b. ぎわ）の美しさを武士の生き方にたとえたりするものね。

❹ 🧑：この食べ（a. かけ　b. ぎわ）のお弁当、誰の？
　 🧑：ああ、それ、ぼくの。途中で電話がかかってきて……。

❺ 人が死に（a. かけ　b. ぎわ）で言うことが多いのは、感謝や後悔の言葉だそうです。

(Qの答え：a)

20 Aっけ　Aかな

Q 👤はa、bどちらを言えばいいでしょうか。

👤：昨日、田中さんに出した手紙、もう（a.届いたかな　b.届いたっけ）。
👤：昨日だったら、まだ着いていないかもしれないね。

📓 どちらも「不確かであること」を表す表現。「Aかな」は「予測や推測」の表現、「Aっけ」は「再確認」の表現。

Aっけ	Aかな
1「Aっけ」は、「覚えていたけど忘れてしまったこと」や「知らされていたが、記憶があいまいなこと」などについて、「聞き手に確認する」表現。	1「Aかな」は、「事実として知らないこと」について、「あいまいに予測・推測・確認などをする」表現。
2［Q］手紙を出したのは👤。手紙が届いたかどうか、👤は確認できる立場にない→👤に確認を求めるのはおかしい。	2［Q］👤にとっては「手紙が届いたかどうか」という事実の内容は不確か→aは正しい。
3「過去の出来事（ⅰ）」のほか、「予定など、過去に決めたことの再確認（ⅱ）」にも使う。 過去の出来事か予定の再確認かは、動詞の形で決まる。 （ⅰ）👤：部長は大阪に出張に 行った んだっ（たっ）け。〔過去の出来事〕 　　👤：いえ、京都ですよ。 （ⅱ）👤：課長はいつ出張に 行く んだっ（たっ）け。〔予定〕 　　👤：来週です。	

POINT　「Aっけ」を「Aかな」に置き換えることはできるが、「Aかな」をすべて「Aっけ」にすることはできない。

(1) ○ 私、合格できる<u>かな</u>？　　× 私、合格できるんだ<u>っけ</u>？

(2) ○「去年、来た店はここだったっけ」「うん、そうだよ」
　　○「去年、来た店はここだったかな」「うん、そうだよ」

例文

① :A社の田中さんには、いつ会ったんだったっけ。
　 :先月の3日に会いに行きましたよ。
② :駅前のレストランの定休日って、木曜日だったっけ。
　 :いや、水曜日じゃなかったかな。
③ :僕たちの泊まるホテルって、駅から遠かったんだっけ。
　 :うん、確か、駅からタクシーに乗るんじゃなかったかな。

練習

次の（　）のa、bのうち、文の内容に合うほうを選びなさい。

❶ :中田さんって、(a. 先週　b. 来週) ひまなんだったっけ。
　 :ええ、ひまですよ。

❷ :見て！　10年前の北海道旅行の写真。この時、すごく (a. 寒いんだった　b. 寒かったんだ) っけ。
　 :寒かったじゃないですか。季節はずれの雪が降って……。

❸ :このレポートって、もう部長に見て (a. もらった　b. もらうんだった) っけ。
　 :先週、一度見てもらったって言ってたよ。

❹ :このチョコレートケーキはどう？　おいしそうだし、量もちょうどいい感じ。
　 :そうだね。いくら (a. かな　b. だったっけ)。

❺ :来週の講演会、先週末で申し込みは何人ぐらい (a. だったっけ　b. かな)。
　 :まだ、30人くらいでしたよ。

❻ :年末はやっぱり忙しくなる (a. のかな　b. んだっけ)。
　 :そうなるだろうね。

(Qの答え：a)

21 Aもので　Aものを

Q 👤は遅刻した👤に怒っています。👤はa、bどちらで答えればいいですか。

👤：授業は9時半からですよ。今、何時だと思っているんですか。
👤：すみません。電車が事故で遅れた（a. もので　b. ものを）……。

「Aもので」は「Aもの＋で」の形で「失敗などの元になったこと」を示す。「Aものを」は「Aもの＋を」の形で「本来実現されるべきだったこと」を示す。

Aもので	Aものを
1 「Aもので」は「Aだから」と同じような意味。自分の失敗などについて、Aで理由や事情を示し、「自分は悪くない、仕方がないじゃないか」という気持ちを表す。 ○ 風邪気味なもので、今日はこれで帰らせていただきます。	1 「Aものを」は「Aのに」と同じような意味。「本当はAするのを／すべきなのを（どうしてしなかったのか）」「本当はAだったのを（どうしてAではなかったのか）」と、「後悔したり責めたりする気持ち」を表す。 ○ 風邪気味なら休めばいいものを、休まないからひどくなったんだ。
2 [Q] 👤は「遅れたのは私が悪いのではなく、電車のせいだ」と言いたい→aは正しい。	2 [Q] 👤は「電車が遅れたことを後悔している」のではなく、「👤に対して遅れた理由を述べている」という状況 → bは間違い。

POINT　「もの」は、会話で「もん」になることがある。
○ すみません、知らなかったもんで（←もので）。

例文

① 👤：月曜日の会議は10時からでいいね？
　👤：部長、すみません、会議は午後からにしてもらえないでしょうか。月曜日は*朝一で来客があるもので……。
　　＊朝一で：朝、一番最初に。

② 👤：六甲山、どうでした？
　👤：すごくよかったですよ。お天気もよくて。👤さんも一緒に来ればよかったものを……。

③ 👤：すみません、遅れて。途中でちょっと迷子になっちゃいまして。
　👤：なんだ……。電話くれれば、迎えに行ったものを……。

練習

次の（　）のa、bのうち、文の内容に合うほうを選びなさい。

❶ 👤：また遅刻？　今週、何回目？
　👤：すみません。目覚ましが鳴らなかった（a. ものを　b. もので）。

❷ 👤：だめだ、ホテルが全然取れない。せっかく休みをとったのに、これじゃ、行けないよ。
　👤：ばかだなあ。もっと早く予約しておけばよかった（a. ものを　b. もので）。

❸ 👤：また、誰か雪山で遭難したんだって？
　👤：うん。あと半日発見が早ければ助かった（a. ものを　b. もので）。かわいそうになあ。

❹ 👤：まあ、一杯、どうぞ。
　👤：ありがとうございます。でも、お酒はちょっと……。医者に止められている（a. ものを　b. もので）。

❺ 👤：どうして窓を閉めているんですか。開けているほうが気持ちいいのに。
　👤：午前中、外の工事の音がうるさかった（a. ものを　b. もので）。今、開けます。

(Qの答え：a)

22 Aに違いない　Aに決まっている

Q 👤は今、学会で発表しています。a、bどちらが正しいですか。

👤：地球は着実に温暖化に向かっています。このまま温暖化が進めば、たとえば台風は巨大化し、被害がより大きくなる（a. に違いない　b. に決まっている）と、私は考えます。

📓 どちらも強い推量表現だが、「Aに決まっている」はどちらかと言うと主観的な言い方、「Aに違いない」はかなり客観的な言い方。

Aに違いない	Aに決まっている
1 「Aに違いない」は、「"Aだ"と確信に至る理由がはっきりしていて、さらに、客観的な発言をする場合」によく使われる。	1 「Aに決まっている」は、「"Aだ"と確信に至る理由が主観的な思い込みのときによく使われる。
2 ［Q］学会のような公的な場では、客観的な理論やデータに基づいて話すことが求められる。したがって、aが正しい表現。	2 ［Q］👤の発言の中で使うと、主観だけで、あるいは感情にまかせて発言しているような印象になる。Qのように客観的な発言が求められる場面には合わない。

POINT　「Aに決まっている」には、さらに「当然Aだ」という意味もある。

👤さっき言ったこと、ほんと？
👤別れたいってこと？
　　a. うそに決まっているだろう。
　　b. うそに違いないだろう。

aの場合、自分が言った言葉「別れたい」について「それは当然うそだよ」と言うことになり、問題はない。一方、bの場合、自分が言った言葉に対して「それはうそだろう」と推量することになり、おかしい。

※ 自分のことについて「Aに違いない」を使うのは、「自分の力ではコントロールできないこと」に限られる。

　　○ 参加者全員にプレゼント？　どうせ安物に違いないよ。

例文

① :この事件の犯人はやはり彼でしょうか。
　:うん、これだけ証拠があるんだから、彼に違いないだろう。
② :雪山で寝てしまったら、どうなるんですか。
　:死ぬに決まっているじゃないか。
③ :今朝の社長の話には驚いたな。海外進出なんて、本気で言ってるのかなあ。
　:あれは本気に違いないよ。すごく具体的だったからね。

練習

次の（　　）のa、bのうち、文の内容に合うほうを選びなさい。

❶ :この議員はいつも笑顔で、よさそうな人だね。
　:そうかな～。政治家はみんな腹黒いに（a. 決まっている　b. 違いない）よ。

❷ :ちょっと早めに行けば空いてるんじゃない？
　:甘いなあ。セールなんだから、込んでいるに（a. 決まっている　b. 違いない）でしょ！

❸ :あの銀行も、今のままでは生き残れませんね。
　:いずれどこかと合併するに（a. 決まっている　b. 違いない）とぼくは見ているよ。

❹ :店の経営は順調ですか。
　:とんでもない。この不景気ですよ。苦しいに（a. 決まっている　b. 違いない）じゃないですか。

❺ :うちの母は私のことなんか、どうだっていいんだよ。
　:何言ってるの！　母親なんだから心配しているに（a. 決まっている　b. 違いない）でしょ。

❻ :これは大発見ですよ。きっと新種に（a. 決まっている　b. 違いない）と思います。
　:そんなわけないって。誰かがもう見つけているに（a. 決まっている　b. 違いない）よ。

(Qの答え：a)

23 Aとは限らない　Aないとは限らない

Q 👤は👤に傘を持っていくように言っています。a、bどちらが正しいですか。

👤：今日、傘、いるかなあ。
👤：うーん、a. 降るとは限らないからね。持っていけば？
　　　　　　b. 降らないとは限らないからね。持っていけば？

Aとは限らない	Aないとは限らない
1 「Aとは限らない」は「Aないかもしれない」という意味。	1 「Aないとは限らない」は、「100パーセントAないということではない」「Aの可能性もゼロではない」と言いたいときの表現。「Aかもしれない」という意味になる。
2 [Q] 👤は傘を持っていくことを勧めているので、「雨が降るかもしれない」と思っている。一方、aの「降るとは限らないから」は「降らない可能性もあるから」という意味になり、👤の考えと合わない。	2 [Q] 👤は「雨が降るかもしれない」と思っている。一方、bの「降らないとは限らない」は「降るかもしれない」「降る可能性がある」という意味になるので、👤の考えと合う。

POINT　「Aないかもしれない」⇒（Aと思っている状況で）Aない可能性もある。
「Aないとは限らない」⇒（Aないと思っている状況で）Aの可能性もある。

👤：あ、もう10時15分。30分発の急行はもう乗れないだろうな。
👤：間に合わないとは限らないから、走って行こう。

例文

① :バーゲンの招待はがきをもらったから、一緒に行かない？ 3割引きから5割引きだって。
 :いいけど、バーゲンの商品がみんなお買い得とは限らないよ。
② :山田さんって、A大学出身だって。すごいね。
 :へー。でも、いい大学を出ているからって、仕事ができるとは限らないよ。
③ :病気になるとは限らないのに、毎月保険料を払うなんて意味ないよ。
 :今は健康でも、ずっと病気にならないとは限らないから、みんな保険に入るんだよ。

練習

次の（　）のa、bのうち、文の内容に合うほうを選びなさい。

❶ :あの店の料理長は有名だから、きっとおいしいと思うよ。
 :料理長が有名だからって、(a. おいしい　b. おいしくない) とは限らないよ。

❷ :最近、自然災害が多いよね。必ず世界のどこかで起きているでしょ。
 :そうね。でも、自分の周りで (a. 起きる　b. 起きない) とは限らないから、備えだけはしておいたほうがいいね。

❸ :この炊飯器、機能が多くていいと思わない？
 :機能が多いのが (a. 便利だ　b. 便利じゃない) とは限らないよ。

❹ :彼からずっと連絡がなくて……すごく心配。
 :連絡がないからって、(a. 問題がある　b. 問題ない) とは限らないよ。心配しすぎだと思うよ。

❺ :お父さん、遅いね。今日はもう夕飯食べないんじゃないかなあ。……ねえ、これ食べていい？
 :帰りが遅いからって (a. 食べる　b. 食べない) とは限らないでしょ。何か食べたかったら、お菓子でも食べなさい。

(Qの答え：b)

24

Aてはいられない　Aずにはいられない

Q 🧑 はa、bどちらで答えればいいですか。

　👤：今日からでしたね、お祭り。この雰囲気、大好きなんですよ。
　🧑：a. 私もです。あの太鼓の音を聞くと、じっとしてはいられないんです。
　　　b. 私もです。あの太鼓の音を聞くと、じっとせずにはいられないんです。

形は似ているが、意味や使い方は対照的。「Aてはいられない」はAを否定する表現、「Aずにはいられない」はAを肯定する表現。

Aてはいられない	Aずにはいられない
1 「Aてはいられない」は、自分の置かれている状況や精神的・肉体的状態によって「Aは難しい」「Aできない」「Aしたくない」と感じたときの気持ちを表す。 ○ ライトがまぶしくて、目を開けて(は)いられなかったよ。	1 「Aずにはいられない」は、「Aしよう」「Aしたい」という気持ちや「心や体の(自然な)反応を抑えることができない」「自然とAしてしまう」ということを表す。 ○ ライトがまぶしくて、思わず目を閉じずに(は)いられなかったよ。
2 [Q] じっとしてはいられない： 「太鼓の音が聞こえてくると、じっとしていることができない」、つまり「祭りに行きたくなる」という意味。	2 [Q] じっとせずにはいられない： 「自然とじっとしてしまう」という意味になり、会話の内容や調子に合わない。
3 「Aてはいられない」は「ほかにもっと大切なこと、しなければならないことがある」ことも意味するので、「このままでは／このままの状態でいるのはだめだ」という文脈でもよく使う。 👤：もう大学3年生だし、そろそろ就職活動を始めないとね。 🧑：うん、ぼーっとしてはいられないね。	3 「Aずにはいられない」は、「とてもAしたくてがまんできない」というときにも使う。 👤：あなたも家電製品、好きね。 🧑：うん。新製品と聞くとチェックせずにはいられないんだよ。

例文

① 🧑：また隣の人、うちの前に車、止めてるよ。
　👤：え～、今度という今度は黙ってはいられないな。ちょっと注意してくる。

② 🧑：お母様、もう70を過ぎてらっしゃるんですよね。今もお店でお仕事をなさってるんですか。
　👤：ええ。みんな忙しく働いているのに、自分だけぶらぶらしてはいられないって。

③ 🧑：あの人、すごくまじめな顔して突然変なことを言うんだもの。笑わずにはいられなかったよ。
　👤：ほんと。悪いと思ったけど、*ふき出したよ。
　　　*ふき出す：抑えることができず、笑い出す。

練習

次の（　　）のa、bのうち、文の内容に合うほうを選びなさい。

❶ 🧑：あなたたち、15年ぶりに偶然日本で会ったの？
　👤：そうなんです。だから、運命を（a. 感じて　b. 感じずに）はいられなくて。

❷ 🧑：昨日の部長の怒り方、すごかったんだって？
　👤：うん、田中さんがかわいそうで、（a. 見て　b. 見ずに）いられなかったよ。

❸ 🧑：林さんから連絡来ないですね。
　👤：うーん。でも、これ以上（a. 待って　b. 待たずに）はいられないな。先に行こう。

❹ 🧑：この店、ほんとに安くておいしいね。ボリュームもあるし。
　👤：うん。ぼくたち学生にはほんと、助かる。（a. 感謝して　b. 感謝せずに）はいられないよ。

❺ 🧑：カルロスさん、ご機嫌ね。
　👤：ええ。サンバを聴くと（a. 踊って　b. 踊らずに）はいられないんです。

（Qの答え：a）

25 Aわけがない　Aわけではない

Q 👤の質問に、👤はa、bどちらで答えればいいですか。

👤：どうしたの？　困った顔して……。
👤：課長に今週中に資料を作れって言われたんだけど、
　　（a. できるわけがないよな　b. できるわけではないよな）。

📓 「Aわけがない」は「"そういう可能性はない"と強く否定するとき」に、「Aわけではない」は「"一般的な見方や相手の考え"に対して"そうではなはい"と訂正や注意をするとき」に使う。

Aわけがない	Aわけではない
1「Aわけがない」は「Aの可能性が低い」「Aのはずがない」「Aは無理だ」という意味。話し手が「Aではない」「Aはあり得ない」と強く否定したいときに使う。	**1**「Aわけではない」は、Aという「聞き手の考えや一般論」を否定する表現。「Aわけではないが〜」「Aわけではないのに〜」などの形で、否定することになった理由や事情は述べずに、意見や判断を言うことが多い。
2 会話では、助詞の「が」が省かれることが多い。 👤：今日、雨降るかな？ 👤：降るわけないよ。こんなに晴れているんだから。	**2** 会話では、「では」が「じゃ」になることが多い。 👤：お金に困っているの？ 👤：困っているわけじゃないけど、楽じゃない。毎日節約しているよ。
3［Q］👤は「課長に言われた仕事を期限内にすることは無理だ」と困っている→aは正しい。	**3**［Q］👤は「👤の考え」に意見や感想を言っているのではない→bは不適当。

POINT　「Aわけがない」の「が」が省略される（ⅰ）と、い形容詞「わけない」と同じ形（ⅱ）になるので注意。「わけない」は「簡単だ、困難ではない」という意味。
（ⅰ）こんな難しい問題、中学生が解けるわけない。
（ⅱ）こんな簡単な問題、中学生なら、解くのはわけないよ。

例文

① 🧑：希望の大学に合格できるか、心配なんです。
　👤：ワンさんが不合格になるわけがないよ。誰よりも頑張ってきたんだから。

② 🧑：これ、ABCのコンサート・チケットの行列なんだ。すごい人気だね。
　👤：ほんとだね。でも、並んでも、みんなが買えるわけじゃないんだって。

③ 🧑：また、バーゲンに行ったの？ 好きだねぇ。
　👤：いや、行きたいわけじゃないんだけど、彼女が大好きで。

練習

次の（　）のa、bのうち、文の内容に合うほうを選びなさい。

❶ 🧑：新しいパソコン、買った？
　👤：買える（a. わけがない　b. わけじゃない）だろ？　今、生活、厳しいのに。

❷ 🧑：あの政治家、自信満々だけど、今度の選挙、勝てると思う？
　👤：当選確実という（a. わけがない　b. わけじゃない）けど、かなりの確率で当選すると思うよ。

❸ 🧑：ピアノコンサートの切符があるんだけど、息子さん、行かないかなあ？
　👤：行く（a. わけがない　b. わけじゃない）よ。クラシックには全然興味ないんだから。

❹ 🧑：田中さんって、大学の同級生でしょ？　どんな人？
　👤：同級生だけど、よく知っているという（a. わけがない　b. わけじゃない）んだよ。何度かしゃべったことがあるだけで。

❺ 🧑：これ、初めて作ってみた料理なんだけど、どうかなあ？
　👤：まり子ちゃんが作る料理なら、まずい（a. わけがない　b. わけじゃない）じゃない。

❻ 🧑：何ふるえているの？　雷が怖いの？
　👤：怖い（a. わけがない　b. わけじゃない）だろ？　子供じゃあるまいし。

(Qの答え：a)

26 Aないわけがない　Aないわけではない

Q 👤はa、bどちらで答えればいいですか。

👤：彼女、彼が病気だってこと、知っていたのかな。
👤：(a. 知らないわけがない　b. 知らないわけではない) だろう。夫婦なんだから。

📓 「Aないわけがない」は、二重否定によって「必ずAだ」と強く肯定する表現。「Aないわけではない」は、「全くAない」という完全否定を打ち消す表現。

Aないわけがない	Aないわけではない
1「Aないわけがない」は、「Aないことはあり得ない、考えられない」という意味の推量表現。「間違いなく／確実に／必ずAだ」と言いたいときに使う。 👤：大学、どこかに合格できるかなぁ。 👤：テストの成績、いつもトップクラスじゃない。通らない<u>わけがない</u>よ。	1「Aないわけではない」は、「100％Aないとは言い切れない」「Aの可能性が少しある」という意味。「Aないと断定したくない／決めてしまいたくないとき」に使う。 👤：宝くじなんか、どうせ当たらないよ。 👤：でも、誰か当たるんだから。絶対当たら<u>ないわけじゃない</u>でしょ。 「Aだ（＝Aないことはない）。でも、……」と、補足をするときによく使う。 👤：パーティーには行かないの？ 👤：行か<u>ないわけじゃない</u>よ。でも、最後までいられるか、まだわからない。
2 ［Q］彼と彼女が夫婦なのだから、👤は「必ず知っている」と言いたい→aは正しい。	2 ［Q］👤は「"知らない"と断定したくない」のではない→bは間違い。 3「では」は、「じゃ」になることが多い。 👤：お刺身、食べないの？ 👤：うん。食べられ<u>ないわけじゃない</u>けど、あまり好きじゃないんだ。

例文

① 🧑：雨降るかなあ、今日。
　 👤：降らないわけがないだろ？　あんなに黒い雲が広がっているんだから。
② 🧑：あの子、また、こんな時間までゲームしてる。学校で眠くならないかしら。
　 👤：眠くならないわけがないだろう。いいかげん止めさせないと。
③ 🧑：田中さんは結婚したいと思わないの？
　 👤：結婚したくないわけじゃないんだけど、いろいろやりたいこともあるし、相手もいないし……。

練習

次の（　）のa、bのうち、文の内容に合うほうを選びなさい。

① 🧑：ここに車を止めてもいいのかな。
　 👤：止められない（a. わけがない　b. わけではない）みたい。でも、狭いから出し入れが難しいよ。あっちの広いところに止めようよ。

② 🧑：これ、初めて作った料理だけど、味見してみて。
　 👤：わっ、何、これ!?　食べられない（a. わけがない　b. わけではない）けど、僕にはちょっと辛すぎるな。

③ 🧑：先生、この学校を受けたいんですけど、合格できるでしょうか。
　 👤：原さんなら合格できない（a. わけがない　b. わけではない）よ。心配いらないって。

④ 🧑：あれ、今日はあの赤いワンピースを着て来なかったの。似合うのに……。
　 👤：うん……。あれ、着られない（a. わけがない　b. わけではない）んだけど、最近、ちょっときつくなって……。

⑤ 🧑：あの大臣、言うことがころころ変わって頼りないな。
　 👤：彼の立場もわからない（a. わけがない　b. わけではない）けど、国を動かしているんだからね。もっとしっかりしてくれなくちゃね。

（Qの答え：a）

27 Aわけではない　Aないわけではない

Q 🧑 は予定があるのでしょうか、ないのでしょうか。

👤：ねえ、土曜の午後って何か予定ある？　みんなでカラオケに行くんだけど、行かない？

👤：うーん、特に予定があるわけじゃないけど、カラオケはやめとくよ。

📓　「～わけではない」の「～」が肯定形か否定形かによって、意味が異なる。「Aわけではない」は「Aない」と、「A（し）ないわけではない」は「A（する）」と比べてみよう。

Aわけではない	Aないわけではない
1 「Aわけではない」は、「Aと断言できない」「Aというほどではない」「Aないけれども～（「～」に話し手の言いたいことが来る）」という意味。	1 「Aないわけではない」は、「Aと断言できない」「Aないというほどではない」「Aである／Aするけれども～」という意味。「けれども」のあとに来る部分が、話し手にとって言いたいこと。
2 ［Q］予定があるわけじゃないけど：「予定はない、忙しくはないが……」という意味。	2 ［Q］予定がないわけじゃない：「予定が全くない、ひまだということではない」「時間はあるが……（カラオケは行かない）」という意味。

POINT　「Aない」と「Aわけではない」は、一部の否定か、全部の否定かの違い。
a. 試験を受けた人全員が、大学に入れない。（⇒受けた人のすべてが入れない）
b. 試験を受けた人全員が、大学に入れるわけではない。（⇒受けた人の一部が入れる）

👤：お父さんはお元気ですか。
👤：a. それが、病気というわけではないんですが、入院しているんです。
　　（⇒病気というほどひどい状況ではないが、入院している）
　　b. それが、病気ではないんですが、入院しているんです。
　　（⇒何か病気にかかったというのではないが、検査などで入院している）

例文

① 🧑：あなた、彼のことが好きなんじゃないの？
　👤：好きなわけじゃないけど、何となく気になるのよね。

② 🧑：ほかの人に比べて勉強が足りないわけじゃないと思うんです。結構頑張っているつもりなんです。
　👤：でも、成績が伸びないんですね。じゃ、勉強の方法に何か問題があるかもしれませんね。

③ 🧑：この料理、おいしくないわけじゃないけど、ちょっと辛いですね。
　👤：そうですか。この辛さがいいんですけどね。特別おいしいというわけじゃないけど、食が進むんです。けっこう癖になりますよ。

練習

次の（　　）のa、bのうち、文の内容に合うほうを選びなさい。

❶ 🧑：田中さんは何も意見を言いませんけど、反対なんですか。
　👤：いえ、（a. 反対　b. 反対しない）というわけじゃないんですが、実際やるとなると、かなり難しいんじゃないかと思って。

❷ 🧑：わっ、変な臭い！　これ、腐っているんじゃない？
　👤：臭いは強烈ですが、（a. 腐っている　b. 腐っていない）わけではないんです。

❸ 🧑：田中さん、さっきから全然飲んでないですね。お酒は飲まないんですか。
　👤：いえ、（a. 飲む　b. 飲まない）わけじゃないんですが、今日は体調があまりよくなくて……。

❹ 🧑：何とか、お願いします。この仕事、引き受けてもらえませんか。
　👤：そちらの立場も（a. わかる　b. わからない）わけではないんですが、今回は引き受けられる状況じゃないんです。

❺ 🧑：あのレストラン、どうだった？　高かった？
　👤：う〜ん、（a. 高い　b. 高くない）わけじゃないけど、値段のわりに量が少なかったな。あまり勧められないな。

（Qの答え：予定はない）

28

Aわけ(が)ない　Aないわけ(が)ない

Q 🙎は、この絵が売れると思っていますか、売れないと思っていますか。

🙍：この絵が売れるわけがないじゃない？　そう思わない？
🙎：私は売れないわけがないと思うけど……。

📓「わけ」は理由や道理（物事の正しい筋道、考え方）などの意味。「わけがない」は可能性を強く否定する表現になる。

Aわけ（が）ない	Aないわけ（が）ない
1　「Aわけがない」は「絶対Aないだろう」「きっとAない」「Aなんて考えられない」「Aの可能性などない」など、Aを強く否定する推量表現。	1　「Aないわけがない」は「絶対にAだろう」「きっとAだ」「必ずAする」「Aないなんて考えられない」など、Aを強く肯定する推量表現。
2　[Q] 売れるわけがない：「売れる理由がない」「売れることなど考えられない」「きっと売れないだろう」という意味。	2　[Q] 売れないわけがない：「売れない理由がない」「売れないことなど考えられない」「きっと売れるはずだ」という意味。

POINT　「Aないわけがない」のような二重否定は紛らわしいので、意味を取り違えないように注意しよう。

○ 知らないわけがない→必ず知っている
○ 来ないわけがない→必ず来る
○ 悲しくないわけがない→きっと悲しいはずだ、もちろん悲しい
○ 好きでないわけがない→きっと好きなはずだ、もちろん好きだ

例文

① 👤：ねえ、宇宙人っていると思う?
　👤：いないわけがないよ。宇宙は広いんだから。
② 👤：夏休み、旅行に行けそう?
　👤：行けるわけがないよ。こんなに忙しいのに。
③ 👤：田中さん、体調が悪くて今日は飲み会に来られないんだって。
　👤：そんなわけないよ。さっき駅で見かけたけど、誰かと楽しそうに話してたよ。

練習

次の（　　）の言葉を適当な形に変えなさい。

❶ 👤：私のこの病気、ほんとに治るのかなあ。
　👤：先生が何も心配することはないって言ってるんだから。（治ります→　　　　　）わけがないでしょ。

❷ 👤：わ〜、この料理、おいしい!!
　👤：一流のシェフが最高級の材料で作ったんだから（おいしいです→　　　　　）わけがないよ。

❸ 👤：この英語の文、何て書いてあるんだろう?　わかる?
　👤：ぼくの英語力は小学生レベルなんだから、（わかります→　　　　　）わけがないだろう。

❹ 👤：あの人、お金持ってないって言ってたよ。
　👤：（持ちます→　　　　　）わけないでしょ。あんな大きい家に住んでるのに。

❺ 👤：この本、今すごく話題になってるんでしょ?　読んだ?
　👤：こんなに忙しいのに（読めます→　　　　　）わけないよ。

(Qの答え：売れると思っている)

29 Aどころではない　Aなんてものではない

Q ♀は研修から帰ってきた♂に聞いています。a、bどちらが正しいですか。

♀：新しい研修所、どうだった？
♂：あれは研修所（a. なんてものじゃなかった　b. どころじゃなかった）よ。ちょっとした高級ホテルって感じで、なかなか気分よかったよ。

どちらも「予想や期待が大きく外れた」ことを表すが、「Aどころではない」は「程度やレベル」に、「Aなんてものではない」は「内容」に重点を置く。

Aどころではない	Aなんてものではない
1「Aどころではない」は「Aというようなレベルではない、もっとすごい（レベルだ）」という意味。 ○ 彼女が卒業したのはA大学どころじゃないよ。ハーバードだよ。	1「Aなんてものではない」は「Aというようなもの・性質ではない」「Aの意味の範囲から外れる」「Aという表現は当たらない」「単にAというだけでは不十分」などの意味。
2 ［Q］「研修所」という言葉自体は程度やレベルを含んだものではない→bは不適当。	2 ［Q］♂が言いたかったのは「"研修所"という言葉の持つ一般的なイメージから外れる、もっとよかった」ということ。
	3 この例とは逆に、マイナス評価の場合にも使える。 ○ 研修所なんてものじゃないよ。何の設備もなくて、あれじゃ、学生寮と変わらないよ。

POINT 1 どちらも、「では」が「じゃ」になることが多い（特に会話で）。

POINT 2 「Aどころではない」には、「Aより大切なことがほかにあって、Aをする余裕がない」という意味もある。
　○ 借金の返済に追われていて、貯金するどころじゃないんだ。
　○ ♀：ねえ、ちょっと手伝ってくれない？
　　♂：今、それどころじゃないんだ。社長に急いで資料を持ってくるように言われて。

例文

① 🧑：この事件の被害総額は5億円ぐらいでしょうか。
　👤：いや〜、5億円どころではないでしょう。もっとですよ。
② 🧑：あの映画、おもしろかった？
　👤：おもしろいなんてもんじゃないよ。最悪だったよ。
③ 🧑：パーティーは楽しかった？
　👤：楽しいなんてものじゃなかった。夢のようだったわ。

練習

次の（　）のa、bのうち、文の内容に合うほうを選びなさい。両方合う場合は、両方選びなさい。

❶ 🧑：息子さん、スポーツしてるから、よく食べるでしょ。
　👤：食べる（a. どころじゃない　b. なんてもんじゃない）わよ。一日5食よ。

❷ 🧑：あの人、知っているの？
　👤：知っている（a. どころじゃない　b. なんてもんじゃない）よ。大学ですごくお世話になったぼくの恩師だよ。

❸ 🧑：期末試験、どうだった？
　👤：それがさ、急におなかが痛くなっちゃって。試験（a. どころじゃなかった　b. なんてもんじゃなかった）んだよ。

❹ 🧑：田中さんのバンドって、どんな演奏するんだろう？
　👤：聴いたことあるけど、あんなのは演奏（a. どころじゃない　b. なんてもんじゃない）よ。ただの雑音だよ。

❺ 🧑：原さんって、英語、話せるの？
　👤：話せる（a. どころじゃない　b. なんてもんじゃない）よ。ペラペラだよ。

❻ 🧑：今回優勝した人って、素人なんでしょ？
　👤：そうなんだけど、あのうまさは素人（a. どころじゃなかった　b. なんてもんじゃなかった）よ。ほとんどプロだった。

(Qの答え：a)

30 Aないこともない　Aないこともある

Q 🧑は、パソコンが壊れたので店に持って行きました。a、bどちらが正しいですか。

　🧑：このパソコン、直るでしょうか。
　🧑：a. 修理できないこともないですが、日にちがかかりますよ。
　　　b. 修理できないこともありますが、日にちがかかりますよ。

「Aないこともない」と「Aないこともある」は強調されるポイントが対照的。

Aないこともない	Aないこともある
1 「Aないこともない」は「難しいが、『Aない』とは決まっていない」→「Aない可能性が高いが、Aする可能性も（十分）ある」という意味。「Aする可能性があること」に重点を置いた表現。	1 「Aないこともある」は「Aする可能性が高いが、Aない可能性もある」という意味。「Aない可能性があること」に重点を置いた表現。
2 ［Q］修理できないこともない：「難しいが直る可能性はある。ただ、日にちがかかる」という意味。	2 ［Q］修理できないこともある：「直らない可能性が少しある」という意味。「直らない可能性があること」と「日にちがかかること」は関係ない。

POINT　「Aこともある」という表現もある。これは「Aの可能性が少しある」「ときどきAだ」という意味。

(1) 🧑：去年行ったパリ観光の地図、もう捨てちゃおうか。
　　🧑：えっ、置いといてよ。また、行く<u>こともある</u>だろうから。
(2) 🧑：🧑さんは、お昼はいつも外で食べるんですか。
　　🧑：ええ。たまにお弁当を持ってくる<u>こともある</u>けど。

一方、「Aこともない」は「可能性はゼロに近い/ほとんどない」という意味。
(3) 🧑：この前の旅行で会ったあの人、素敵だったね。
　　🧑：そうね。もう会う<u>こともない</u>と思うけど。

例文

① 🧑:彼女、ずいぶん怒っていたらしいよ。
　👤:そうなんだ。でも、彼女の気持ちはわからないこともないな。

② 👤:さんは北海道に詳しいんでしょ？
　👤:そんなに詳しくないけど、知らないこともないよ。行くの？

③ 🧑:今度泊まるところ、温泉に入りながら富士山が見えるんでしょ？
　👤:そうなんだけど、その日の天気によっては見えないこともあるんだって。

練習

次の（　　）のa、bのうち、文の内容に合うほうを選びなさい。

❶ 🧑:ねえ、ちょっと手伝ってくれない？
　👤:手伝わないことも（a. ある　b. ない）けど、ただじゃないよね？

❷ 🧑:朝ごはんは必ず食べるの？
　👤:いや、忙しいときは食べないことも（a. ある　b. ない）。

❸ 🧑:明日の約束、3時だったね。ちょっと遅れるかも。
　👤:え～、少しぐらいなら待たないことも（a. ある　b. ない）けど、あんまり遅いようだったら先に行くからね。

❹ 🧑:この荷物、今から出して明日着くと思う？
　👤:普通だったら着くと思うけど、年末だから着かないことも（a. ある　b. ない）かもしれないよ。

❺ 🧑:この眼鏡はいかがですか。この字が見えますか。
　👤:え～と、見えないことも（a. ある　b. ない）けど、もう少しよく見えるほうがいいな。

(Qの答え：a)

31 AからBまで　AからBにかけて

Q テレビの天気予報で、台風に関する情報を伝えています。a、bどちらが正しいですか。

👤：台風15号の接近にともない、
a. あすは、九州から四国にかけて大雨になるでしょう。
b. あすは、九州から四国まで大雨になるでしょう。

📓 どちらも二つの地点や時点を使って範囲を表す表現。「AからBまで」は「はっきりとした範囲」、「AからBにかけて」は「大体の範囲」。

AからBまで	AからBにかけて
1「AからBまで」は、「Aという地点・時点とBという地点・時点を結ぶ、はっきりとした範囲」を表す。	1「AからBにかけて」は、「AとBを結ぶ大体の範囲で」「AとBの間とその周辺で」「AとBにまたがる範囲で」などの意味。
2［Q］天気に関することなどは、はっきりと「この地点からこの地点」とは言えないので、「AからBまで」は使えない。	2［Q］天気に関する表現などでは、大体の範囲を表す「AからBにかけて」をよく使う。 ○ 今夜からあすの朝にかけて、雨が強くなるでしょう。
3「AからBまで」には「基本的なAから発展的なBまで、その範囲のすべて」という意味もある。 ○ 入国の際、かばんの底からポケットの中まで詳しく調べられた。	

72

例文

① 🧑：駅前の郵便局って、土日も開いてるのかな。
　👤：ううん、月曜から金曜までの9時から5時までだよ。

② 🧑：どうしましたか。
　👤：肩から指先にかけて、ときどき、しびれるんです。

③ 🧑：どんな料理が得意ですか。
　👤：一応、家庭料理から中華料理、フランス料理まで、何でも作りますが、得意というほどでは……。

練習

次の（　　）のa、bのうち、文の内容に合うほうを選びなさい。

❶ 🧑：明日、会議だっけ？
　👤：そうだよ。10時から1時（a. まで　b. にかけて）会議だよ。

❷ 🧑：すみません、エアメールでおいくらですか。
　👤：どこ（a. まで　b. にかけて）ですか。

❸ 🧑：昨日の晩から今朝（a. まで　b. にかけて）、冷え込みが厳しかったね。
　👤：うん、明け方の4時ごろ（a. まで　b. にかけて）試験勉強をしていたんだけど、寒くて風邪引きそうになったよ。

❹ 🧑：彼女の持ち物って、バッグから靴（a. まで　b. にかけて）すべてブランド物だね。
　👤：そんな感じね。よく海外まで買いに行くらしいよ。

❺ 🧑：日本はいいね、軍隊に入らなくていいから。ぼくの国では18歳から25歳（a. まで　b. にかけて）の男性は軍隊に入らなければならないんだよ。
　👤：そうなんだ。日本は平和なんだね。

❻ 見て。山の頂上から*中腹（a. まで　b. にかけて）白くなっている。初雪が降ったみたいだね。

　*中腹：山の真ん中あたり。

(Qの答え：a)

73

32 Aうちに B　Aあいだ（間）に B

Q 次の👤はa、bどちらを使えばいいですか。

👤：さあ、温かい（a. うちに　b. あいだに）スープをどうぞ。
👤：はい、いただきます。

📓 「AうちにB」も「A間にB」も「Aの時間の中でBをする」ということ。ポイントは「"Aという時間（の幅）"のとらえ方」が違うこと。

AうちにB	Aあいだ（間）にB
1 「AうちにB」は、「"A"から"Aでない状態"に変わる前にB」という意味。	1 「AあいだにB」は「Aという時間のどこかでB」「Aという期間にB」という意味。
2 ［Q］「A＝温かい」なので、「温かくない状態、つまり冷たくなる前に食べろ」という意味になる→aは正しい。	2 ［Q］「いつ、そうでなくなるか、はっきりしない」場合にはあまり使わない。 × 温かい間に飲んでください。 ○ 温かいうちに飲んでください。 ○ 笑っている間に撮ってください。

POINT ❶　「その状態でなくなると、できなくなる→この時期にしなければならない」という気持ちが強い場合は、「AうちにB」を使う。また、形容詞と接続する場合も、「AうちにB」のほうがよいことが多い。

　　｛○ 外が明るいうちに買い物に行こう。
　　｛× 外が明るい間に買い物に行こう。

　　｛○ 20代のうちに結婚したい。
　　｛× 20代の間に結婚したい。

POINT ❷　どちらも「"Aという時間"の終わりがはっきりしないとき」にも使う。
　　○ テレビを見ているうちに寝てしまっていた。

　　テレビを見はじめる ────▲┄┄┄→
　　　　　　　　　　　　　寝る

POINT ❸　どちらにも「Aの時間の中で、自然に少しずつB」という使い方がある。
　　○ 話を聞いているうちに／間にだんだん腹が立ってきた。
　　○ 日本にいるうちに／間に食べ物の好みが変わってきた。

例文

① 🧑：あ、お金を下ろしに行かなくちゃ。
　 👤：銀行が開いている間／うちに行かないと、手数料を取られるよ。
② 🧑：大学にいる間にいろいろなことにチャレンジしたほうがいいよ。
　 👤：そうですね。学生のうちにいろいろな経験をしたいと思います。
③ 🧑：お子さんは何ていう名前なんですか。
　 👤：日本にいる間に生まれたので、日本人の名前にもあるケンにしたんです。

練習

次の（　）のa、bのうち、文の内容に合うほうを選びなさい。

❶ 🧑：これからジムに行くんですか。お一人で？
　 👤：ええ、土曜はいつも夫が料理をしてくれるんですよ。だから、彼が準備している（a. うちに　b. あいだに）私はちょっとジムに行くことにしているんです。

❷ 私が出張に行っている（a. うちに　b. あいだに）コピー機が新しくなっていた。

❸ 🧑：花壇の花、きれいに咲いたね。
　 👤：そうね。きれいに咲いている（a. うちに　b. あいだに）写真に撮っておこうよ。

❹ 🧑：今日は昼から雨だって。
　 👤：じゃあ、朝の（a. うちに　b. あいだに）郵便局に行ってきて。

❺ 🧑：あれ、納豆、嫌いじゃなかった？
　 👤：うん。でも、寮で毎日出されている（a. うちに　b. あいだに）嫌いじゃなくなったんだ。

(Qの答え：a)

33 AたとたんB　A次第B

Q 🙎の答え方は、a、bどちらが正しいですか。

🙍：何時に出発するんですか。
🙎：a. 皆さんが集まったとたん、出発します。
　　b. 皆さんが集まり次第、出発します。

📓 どちらも「Aのあと、すぐB」という意味だが、「AたとたんB」は「意図的でないこと」について、「A次第B」は「意図的なこと」について述べる。

AたとたんB	A次第B
1「AたとたんB」は、「Aの瞬間、（予期していなかった）Bという出来事・変化が起こる」という意味。「Aが原因・きっかけになってBが起こる」という場合が多い。 ○ 母の声を聞いたとたん、涙が出てきた。	1「A次第B」は、「Aの状態になったら、すぐB」という意味。「Aになるのを待ってB→いつでもBできるように用意している」状況を表すときによく使う。 ○ 日にちが決まり次第、ご報告します。
2 現在文と過去文で使える。	2 過去文には使えない。
3 [Q] 集まったとたん出発する：「出発する」ことは予期できることなので、間違った表現。	3 [Q] 集まり次第 出発する：「みんなが集まること」を待っていて、「集まった状態になる→すぐ出発する」という意味。正しい表現。
4 Bには「～てください、～つもりだ、～しよう」など、依頼や意志を表す表現は使えない。	

例文

① 🧑：このツアーの申し込みは、いつまでですか。
　👤：定員になり次第締め切りますので、お早めにお申し込みください。

② 🧑：田中さんはどこ行ったんですか。
　👤：さっき電話があったんですが、電話を切ったとたん、部屋を飛び出していったんです。

③ 🧑：スピーチしたんでしょ。どうだった？
　👤：もう最悪。舞台に上がったとたん、*頭が真っ白になって、何を話すか、わからなくなっちゃって。

　　*頭が真っ白になる：(強い緊張などから) 一時的に何も考えられない状態になる。

練習

次の（　　）のa、bのうち、文の内容に合うほうを選びなさい。

❶ 🧑：先生、父の手術はいつごろになるでしょうか。
　👤：お父様の状態が（a. 落ち着き次第　b. 落ち着いたとたん）、手術することになるでしょう。

❷ 🧑：じゃ、発表を見てくるよ。
　👤：うん、結果が（a. わかり次第　b. わかったとたん）、連絡ちょうだい。

❸ 🧑：セミの声って、人によっては、うるさく感じるらしいね。
　👤：そうかもしれないね。それにしても、8月に（a. なり次第　b. なったとたん）、急にセミが鳴き始めたね。

❹ 🧑：このビル、幽霊が出るって聞いたんだけど、本当？
　👤：うん、感じやすい人だったら、中に（a. 入り次第　b. 入ったとたん）、普通じゃない空気を感じるらしいよ。

(Qの答え：b)

34 A(する)とB　A(し)てB

Q 👤が「この店に何回も来たことがある」と言いたいときは、a、bどちらを言うのが正しいですか。

👤：a. この店に来ると、ほっとする。
　　b. この店に来て、ほっとする。

👤：あなたは、いつも、この店ね。この店が好きなのね。

「A（する）とB」は「ある条件A→同じ結果B」、「A（し）てB」は「原因・理由A→結果B」または「動作A→動作B」を表す。

A（する）とB	A（し）てB
1「A（する）とB」は、「Aという状況では、いつもBという結果や状況になる」という意味。「Aをすると、いつもBになる」「どんなときでも変わらずB」と言いたいときに使う。 ○ 春になると桜が咲く。 ○ ボタンを押すとランプがつく。 ○ この道を右に曲がると駅です。	**1**「AてB」は、「AたのでB」の意味。「Aが原因で、Bという結果になった」と言いたいときに使う。Bに感情を表す言葉を使うと、「A（行動）がB（感情）を自然に生んだ」ということになる。 ○ 日本が優勝してうれしい。 ○ 娘から電話があって、安心した。 ○ その話を聞いて嫌な気持ちになった。
2［Q］この店に来ると、ほっとする： 「この店に来たときは、いつも"ほっとする"気持ちになる」という意味。何回も来たことがわかる。	**2**［Q］この店に来て、ほっとする： 「この店に来たから、"ほっとする"気持ちになる」という意味だが、何回もこの店に来たかどうかは表せない。

例文

① 👤：お目にかかれて光栄です。
　👤：いえいえ、私こそ、お会いできてうれしいです。
② 👤：この写真を見ると、昔のことを思い出すなあ。
　👤：また、古い写真を見て昔を懐かしんでいるの？ それより早く荷物片付けてよ。
③ 👤：昨日のサッカー、日本が勝ってよかったね。
　👤：そうだね。日本が負けるとやっぱり悔しいもんね。

練習

次の（　　）のa、bのうち、文の内容に合うほうを選びなさい。両方合う場合は、両方選びなさい。

❶ 👤：(a. 遅れて　b. 遅れると) ごめんね。だいぶ待った？
　👤：ごめんじゃないよ！　1時間も待ったよ！

❷ 👤：公園を (a. 通って　b. 通ると) いつもあのおばあさんに会うんだ。
　👤：犬を散歩させに来ているんじゃない？

❸ 👤：山田君が（a. いなくて　b. いないと）、ちょっと寂しいね。
　👤：そうだね。彼が（a. いて　b. いると）雰囲気が明るくなるからね。

❹ 👤：留学中の息子さんからは連絡あるの？
　👤：それが……ほとんどないんですよ。たまに声を（a. 聞いて　b. 聞くと）安心するんですけどね。

❺ 👤：私、バスが苦手で、長時間 (a. 乗って　b. 乗ると) 気分が悪くなるんです。電車じゃ、だめですか。
　👤：そうか。じゃ、電車にしよう。

❻ 👤：この会社に（a. 入って　b. 入ると）、仕事の楽しさがわかるようになりました。
　👤：へー、そんな言葉を（a. 聞けて　b. 聞けると）うれしいなあ。

（Qの答え：a）

35 AにあたってB　A前にB

Q 👤に対して、a、bどちらの答え方がいいですか。

👤：ビジネスマンの心構えとして、何かしていることはありますか。
🧑：a. 私は毎日、出勤する前に必ず新聞を読みます。
　　b. 私は毎日、出勤するにあたって必ず新聞を読みます。

どちらも、実際に起きる事柄はB→Aの順。「A前にB」の場合、AとBの間に「時間的な前後関係」しかないが、「AにあたってB」の場合、「AのためのB（Aが基準となり、そのためのB）」という関係がある。

A前にB	AにあたってB
1 「A前にB」は「単にAとBの時間的な前後関係を述べる」表現で、「Aより先にBする」ことを表す。 👤：いつ、結婚したんですか。 🧑：日本に来る前に結婚しました。	1 「AにあたってB」は「Aという特別な機会にBする」ことを表す。Bは「Aとほぼ同時期」であればよい。 「特別な機会」は、「一般的なこと」でも、話し手が「特別だ」と思えばよい。 👤：いつ、家を買ったんですか。 🧑：結婚するにあたって、将来のことも考えて買うことにしたんです。
2 [Q] 🧑は、単に「出勤する前に新聞を読んでいる」という日常的なことを言いたい→aは正しい。	2 [Q] 🧑は、毎日出勤するので"特別"という意識はない→bは間違い。

POINT　両方使える場合は、「AにあたってB」のほうが少し硬い表現になる。
○ 現地に入る前に、予防注射を受けておいたほうがいいよ。
○ 現地に入るにあたって、予防注射を受けておくことを勧めます。

例文

① 🧑: 🧑さんには、引っ越す前にご挨拶をしなければと思っていました。
　 🧑: そうですか。引っ越しをされるんですね。
② 創立50周年にあたって、記念のパーティーを開催することにしました。
③ 家を売るにあたって、何人かの人に相談することにした。

練習

1 次の（　）に合うのは、a「にあたって」、b「（の）前に」のどちらですか。aかbを書きなさい。

❶ (1) 舞台に出る（　　　）トイレを済ませておいた。
　(2) 舞台に出る（　　　）特別な衣装を作った。

❷ (1) 開会（　　　）一言ご挨拶させていただきます。
　(2) 開会（　　　）マイクの調子を確認しておいてください。

❸ (1) 手術をする（　　　）反対の意見もあった。
　(2) 手術をする（　　　）血圧を測った。

❹ (1) ホノルルマラソンに出る（　　　）、国内の小さな大会に出ることにした。
　(2) ホノルルマラソンに出る（　　　）、半年かけて準備をしてきた。

❺ (1) 家を買う（　　　）、貯金をしなければならない。
　(2) 家を買う（　　　）、親の援助を受けることになった。

2 次の（　）のa、bのうち、文の内容に合うほうを選びなさい。

❶ うちに来る（a. 前に　b. にあたって）一度電話をください。駅まで迎えに行きますから。
❷ 出発（a. 前に　b. にあたって）トイレに行っておこう。
❸ 卒業式を迎える（a. 前に　b. にあたって）、世話になった人たちや仲間の顔が次々と浮かんできた。

(Qの答え：a)

36 Aかと思うとB　Aたとたん(に)B

Q 🙎 は a、b どちらを使えばいいですか。

🙎：赤ちゃん、静かになったね。
🙎：うん。まり子さんが抱いた（a. かと思うと　b. とたんに）泣きやんだよ。やっぱりお母さんがいいんだね。

どちらも「急な変化」を表すことが多いが、「AかとおもうとB」は「Aで終わらず、すぐBが続く様子」、「AたとたんにB」は「AからBへの急な展開」が特徴。

AかとおもうとB	Aたとたん（途端）（に）B
1 「AかとおもうとB」は、一つの継続する事柄について、「Aのあと、（Aで終わらないで）すぐにまた別のBが続く様子」を表す。 ○ やっと桜が咲いたかと思うと、もう散ってしまった。 ○ 突然兄がやってきたかと思うと、すぐ帰ってしまった。	1 「AたとたんにB」は、「A→Bの時間が短い、展開が早い」ことや、「Aという変化がBという結果に直結している様子」を表す。 ○ 口に入れたとたん、吐き出してしまった。
2 ［Q］「まり子さんが抱く」と「赤ちゃんが泣きやむ」は継続する事柄ではない→ b は間違い。	2 ［Q］「まり子さんが抱くこと」が「赤ちゃんが泣きやむこと」に直結しているので、b は正しい。
3 「かと思ったら」も、「かと思うと」と同様の意味。	

> 例文

① 🧑:彼女、最近、様子が変だね。
　 🧑:うん。さっきまで笑っていたかと思うと、急に泣きだしたりするからね。
② 🧑:今日も暑いですね。
　 🧑:ええ。7月に入ったとたん、急に暑くなりましたね。
③ やっと終わったかと思うと、また別の仕事を頼まれてしまった。
④ 🧑:彼、店長になったとたん、急にやる気を見せるようになったと思わない?
　 🧑:そう思う。まあ、いいことだね。

練習

次の(　　)のa、bのうち、文の内容に合うほうを選びなさい。

❶ 会った (a. かと思うと　b. とたん)、彼のことが好きになったんです。

❷ やっと雨がやんだ (a. かと思うと　b. とたん)、また降りだしてきた。

❸ その知らせを聞いた (a. かと思うと　b. とたん)、急に不安になった。

❹ 🧑:この店、前と雰囲気が変わったね。
　 🧑:うん。テレビで紹介されて有名になった (a. かと思うと　b. とたん)、急にサービスが悪くなったよ。

❺ 何か音がした (a. かと思うと　b. とたん)、ネコが出てきた。

❻ 🧑:彼女、結婚した (a. かと思うと　b. とたん)、服が地味になった気がする。
　 🧑:うん、前はもっと派手だった。

(Qの答え:b)

37 AついでにB　AがてらB

Q 郵便局で年賀はがきを買った可能性が高いのは、👤ですか、👤ですか。

👤：郵便局に行ったついでに、買ってきたよ。
👤：私は郵便局に行きがてら、買ってきた。

📓 「AついでにB」「AがてらB」はともに「（主目的の）Aをする機会を利用してBをする」という意味だが、使い方が異なる。A、Bをする場所がポイント。

AついでにB	AがてらB
1「AついでにB」のAとBは、「同じ場所で行われること」にも「違う場所で行われること」にも使える。「主な事柄AにBを追加する」というニュアンスで使われる。 〇 娘を歯医者に連れて行ったついでに、私も診てもらった。〔同じ場所〕 〇 図書館に行くついでに、公園の桜を見てきた。〔違う場所〕	**1**「AがてらB」のAとBは、同じ場所で行われることはなく、違う場所で行われる。「AとB、両方を兼ねる」というニュアンスで使われる。 〇 図書館に行きがてら、公園の桜を見てきたよ。
2 A、Bの動詞が「移動」の意味を持っていなくても、使える。 〇 自分の靴を磨くついでに、夫のも磨いておいた。	**2** Aが名詞で、移動を伴う事柄の場合、「Aをしに行く（A＝行く目的）」という意味。「AとBが同じ場所で行われる」場合にも使える。 〇 散歩がてら、朝食用のパンを買ってきた。
3 [Q] 郵便局に行ったついでに： はがきを買った場所は、はっきりとはわからない。しかし、「郵便局とはがき」という結びつきが強いので、郵便局で買ったと捉えるほうがいい。	**3** [Q] 郵便局に行きがてら： 「はがきを買った場所が郵便局ではない」ことを意味する。
4 Aが名詞の場合、「のついでに」の形になることが多い。 〇 散歩のついでに、銀行に寄った。	

POINT 「ついでに」は前の話を受けて、「ついでに……」と続けることができるが、「がてら」はできない。

例文

① 🧑：投票所に行きがてら、公園をちょっと散歩しない？
　 🧑：そうだね。じゃ、ついでに図書館に本を返そうかな。
② 🧑：行き方を調べるついでに、食事のできるところも探しておいたよ。
　 🧑：さすが。準備いいね。
③ 🧑：国でも日本のテレビ番組、見てた？
　 🧑：ええ。日本語の勉強がてら、ときどき日本のテレビドラマを見ていました。

練習

次の（　　）のa、bのうち、文の内容に合うほうを選んでください。

① 🧑：この写真、きれいですね。どこで撮ったんですか。
　 🧑：先週、出張で東京に（a. 行ったついでに　b. 行きがてら）浅草で撮ったんです。

② 🧑：田中先生のところに行ったの？
　 🧑：うん。就職の報告（a. ついで　b. がてら）、今後の相談をしてきたよ。

③ 🧑：毎日、ご主人のお弁当を作っているの？　大変じゃない？
　 🧑：いえいえ、子供のを（a. 作るついで　b. 作りがてら）だから、そんなでもないですよ。

④ 🧑：このお店、神戸か……遠くて行けないな。
　 🧑：ぼくは来週、大阪出張だから、（a. ついでに　b. がてら）寄ってみようかな。

⑤ 🧑：ここから歩いて帰るんですか。
　 🧑：うん。（a. 運動がてら　b. 運動のがてら）ね。

(Qの答え：🧑)

38 Aた上でB　Aた上にB

Q 👤はa、bどちらで答えればいいですか。

👤：今度、病院で検査を受けてみようかなあ。ときどき息が苦しくなることがあって、すごく気になるの。

👤：それがいいよ。でも、どの病院がいいか、（a. よく調べた上で　b. よく調べた上に）受けたほうがいいよ。

「Aた上でB」は「作業や行為の手順（順番）に関する判断」を表す。「Aた上にB」は「内容が加わることで意味が強まる様子」を表す。

Aた上でB	Aた上にB
1 「Aた上でB」は「Aをし、次にBをする」という〈AからBへの流れ〉を表す。「AてからBしたほうがいい」、つまり「AがなければBはするな」というニュアンスを含む。 ○ ちゃんと内容を確認した上でサインをしてください。	1 「Aた上にB」は「AだけでなくBも」という意味。「Aだけでも十分なのに、さらにBも」というニュアンスを含む。 ○ 昨日は雨が降った上に気温も低かったので、外に出る気がしなかった。
2 ［Q］👤は「よく調べてから行け」と言っているので、aが正しい。	2 ［Q］「よく調べる」だけでなく、さらに「病院にも行け」という意味になるので、bは間違い。
3 AもBも、人の行動に限られる。	

例文

①当クリニックは予約制ですので、インターネットのホームページからご予約をいただいた上で、ご来院ください。
②👤：中古車を買い取ってくれると聞いたんですが……。
　👤：はい、まず実物を拝見した上で検討させていただきます。
③あの先生は教え方がうまかった上に、生徒にとても優しかったですね。
④客：今日はごちそうになった上にお土産までいただいて、恐縮です。

練習

次の（　　）のa、bのうち、文の内容に合うほうを選びなさい。

❶彼は、職を失った上（a. で　b. に）健康も害して、自信をなくしている。

❷濡れた傘は、よく乾かした上（a. で　b. に）たたむようにしましょう。

❸昨日の晩は、雨が激しく降った上（a. で　b. に）雷もひどかった。

❹熱がある場合は、まず相談センターに連絡した上（a. で　b. に）受診してください。

❺もう一度みんなでよく話し合った上（a. で　b. に）、先生に相談したいと思います。

❻この件に関しては、弁護士と相談した上（a. で　b. に）、後日、回答することにしました。

❼面接については、書類審査を行った上（a. で　b. に）改めてご連絡します。

❽申し込みはがきは、裏面に応募シールを貼った上（a. で　b. に）、弊社までお送りください。

❾入金があったことを確認した上（a. で　b. に）、商品の発送をしてください。

❿今回のコンサートは、観客の数が前回を大幅に上回った上（a. で　b. に）、専門家の評価も非常に高かった。

（Qの答え：a）

39 Aに応じてB　AとともにB

Q 👤が美容クリームを紹介しています。a、bどちらの言い方が正しいですか。

👤：このクリームは年齢①（a.に応じて　b.とともに）衰えてくるお肌に効果的に作用します。また、20代、30代、40代と年齢②（a.に応じて　b.とともに）いくつか種類がありますので、安心してお使いになれます。

📓「Aに応じてB」は「Aと合うように（Bが）変化すること」を、「AとともにB」は「Aと同じように（Bが）変化すること」を表す。

Aに応じてB	AとともにB
1「Aに応じてB」は「Aを基準にBの内容が変わる」という意味。「A1に合うB1、A2に合うB2」のように「それぞれに対応するものがあること」を表す。 ○料理の内容は、予算や好みに応じて選べます。	1「AとともにB」は「Aが変化すると、Bも同じように変化する」という意味で、「自然な流れの中での変化」を表す。
2［Q］②では、「30代用のクリーム、40代用のクリームというように、年齢を基準にしたいくつかのクリームがある」という意味→aが正しい。	2［Q］①では、肌の衰えは「年齢が高くなれば自然に生じる変化」と、とらえている→bが正しい。 3会話より書き言葉やスピーチなどで使われることが多い。

例文

① 👤：この学校は、プロを目指す人しか入れないんですか。
　👤：いいえ、目的に応じて、いろいろなコースがありますよ。
②〈天気予報〉台風の接近とともに、風と雨が強くなるでしょう。今後の台風情報にご注意ください。
③ 👤：税金の額って、どうやって決まるんですか。
　👤：収入に応じて、税率が決まっているんです。収入が多くなるとともに、税金の額も上がるようになっています。

練習

次の（　　）のa、bのうち、文の内容に合うほうを選んでください。

❶ 👤：自動車通学は原則禁止って書いてありますけど、絶対だめなんですか。
　👤：基本的にはだめですが、絶対にだめということではありません。事情（a. に応じて　b. とともに）判断します。

❷ 👤：今回の洪水の被害は、相当なものだね。
　👤：政府も見舞金を支給するって言ってるね。被害（a. に応じて　b. とともに）なのか、みんな同じなのか、具体的なことはまだみたいだけど。

❸ 事実が明らかになる（a. に応じて　b. とともに）、政府を非難する声が激しさを増している。

❹ この国でも、経済の発展（a. に応じて　b. とともに）、環境問題への関心が高まってきた。

❺ 👤：能力給って、どういう意味ですか。
　👤：その人の能力（a. に応じて　b. とともに）支払われる給料のことだよ。

(Qの答え：①b　②a)

40 AしかもB　AさらにB

Q テストについて、👤が👤に話しています。a、bどちらの言い方が正しいですか。

👤：この人、オリンピックで見たことがある。日本人？
👤：ああ、そうだよ。水泳で金メダルを取った選手だよ。
　a. しかも3つも。
　b. さらに3つも。

📓 「AしかもB」は主に「Aに関する追加情報」を、「AさらにB」は主に「Aとは別の同じような例」を足す表現。

AしかもB	AさらにB
1「AしかもB」は「Aに加えてBも」という意味。「Aに（Aに関する追加情報の）Bを付け足して、Aの特徴や効果を強める」表現。 ○ ここのピザ、おいしいね。しかも、この値段（安さ）。	1「AさらにB」は「Aだけでなく、Bも」という意味。「Aに（Aとは別の同じような）Bを重ねて、Aの特徴や効果を強める」表現。 ○ 彼はアメリカ大会で初優勝し、さらに北京大会でも優勝と、大活躍した。
2基本的に、Bは「Aに含まれる」こと。 ○ くつを買ったよ。しかも、イタリア製。 × くつを買ったよ。しかも、かばんも（買った）。	2基本的に、Bは「Aに続く・Aと並ぶ」こと。 ○ 彼がくつを買ってくれた。さらに、かばんも買ってくれた。 × 彼がくつを買ってくれた。さらに、イタリア製。
3［Q］👤は「金メダルを取った選手だ」ということに「その金メダルは3つだ」ということを付け加えている→「AしかもB」は正しい。	3［Q］👤は「金メダルを取った次に」ということが言いたいのではないので、bの「AさらにB」は間違い。

POINT 「さらに」には「(程度を増す)もっと、それ以上に」という意味もある。
👤：この試験、来年から新しくなるんでしょ？ どう変わるの？
👤：問題数が増えて、さらに難しくなるみたいだよ。（＝今も難しいけど、それ以上に）
　　問題数が増えて、しかも難しくなるみたいだよ。（＝それに加えて）

例文

① 彼女、よく食べるね。今日もお弁当のあとにドーナツを食べてたよ。しかも、2個。
② こちらの商品を特別価格の2万円でご提供します。さらに、専用のバッグもお付けします。
③ 👤：今の会社のほうが給料はいいよ。しかも、仕事が楽。
　　👤：へー、いいな。私もそこに転職したい。
④ 部長が来ただけでもびっくりしたのに、さらに社長まで来たんですよ。

練習

次の（　　）のa、bのうち、文の内容に合うほうを選びなさい。

❶ 👤：田中さん、国立大学に合格したそうだよ。(a. しかも　b. さらに) T大学だって。
　　👤：へー、すごいね。

❷ 👤：うちの子、昨日、猫を拾ってきたんです。(a. しかも　b. さらに) けがをしていたから、急いで動物病院に連れて行くことになっちゃって……。
　　👤：そう……。それは大変だったわね。

❸ 昨日、交通事故の瞬間を見ちゃったよ。(a. しかも　b. さらに) 目の前で。

❹ 👤：中学の子供がいるんですが、塾って、どのくらいかかるんでしょうか。
　　👤：塾にもよりますが、高校の3年間で大体100万円、大学受験に失敗でもすると、(a. しかも　b. さらに) かかります。

❺ 👤：先生、文法をしっかり身につけたいんですが……。
　　👤：文法ですか。じゃ、この本を読んでみてください。時間があれば、(a. しかも　b. さらに) この問題集をやるといいですよ。

(Qの答え：a)

41 AによってはB　Aに応じてB

Q 🧍は、a、bどちらで答えればいいですか。

🧍：15日のイベントは必ず行われますか。
🧍：当日の天気（a. によっては　b. に応じて）、中止になる場合もあります。

📓 どちらも「Aを基準にB」という意味を持つが、「AによってはB」は「Bの可能性があること」、「Aに応じてB」は「（Bを）Aに合わせること」に重点が置かれる。

AによってはB	Aに応じてB
1 「AによってはB」は、「Aの内容で、Bの場合もあり、Bでない場合もある」という意味。「Aの影響を受ける」「結果はA次第」ということを表す。 ○ ステーキの場合、値段によってはデザートが付く。	1 「Aに応じてB」は、「A（の内容）に合わせてB（の内容が変わる）」「Aを基準にBが決まる」という意味。「A1に対応したB1がある、A2に対応したB2がある」ということを表す。 ○ ステーキの場合、値段に応じて肉のグラム数が変わる。
2 ［Q］「イベントができる天気であればするし、そうでなければしない」という意味になる。	2 ［Q］ここでは「イベントをするかしないか」が問題であり、天気に合わせた内容を聞いているのではない。

POINT　「～によっては」に近い「～によって」も、比較しながら整理しておこう。
○ 日によってメニューが変わる。
○ 彼女は相手によって態度が違う。
× 天気によって中止になる。
○ 天気によって中止になることがある。

「～によって」には、ほかにもいろいろな意味・用法があるので注意。
○ この技術によって大量生産が可能になった。〔手段・根拠〕
○ このお寺も、彼によって建てられた。〔動作の主体〕
○ 台風によって、町は大きな被害を受けた。〔原因〕

例文

① :子供のおもちゃや本は、年齢に応じて選べばいいんですよ。
　:そうでしょうけど、子どもによっては、簡単すぎたり難しすぎたりしませんか。

② :とりあえず、入院はしなくても大丈夫なんですね。
　:そうですね。ただ、症状によっては入院したほうがいい場合もありますので、注意してください。

③ :3年生になったら、クラスは進路に応じて決められるんですか。
　:いえ、ここでは3年生の場合も、成績によって分けられるんです。

練習

次の（　　）のa、bのうち、文の内容に合うほうを選びなさい。

① :卵は栄養があるから、たくさん食べたほうがいいんでしょ？
　:そうだけど、どんなにいいものでも、食べ方（a. によっては　b. に応じて）逆にマイナスになることもあるから、その点も気をつけてね。

② :このホテルは一年中、いつも同じ料金ですか。
　:いいえ、シーズン（a. によっては　b. に応じて）かなり高くなるときもあります。やはり海の近くということで、夏が一番高いです。

③ :この健康器具は、どんな人でも使えますか。
　:ええ。体力（a. によっては　b. に応じて）強さを調節できますから、若い方からお年寄りまで、幅広い年齢層の方に使っていただけます。

④ :この健康器具は、どんな人でも使えますか。
　:そうですね、たいていの方にはお使いいただけます。ただ、まれですが、体格（a. によっては　b. に応じて）サイズが合わなくて、お使いいただけない場合もございます。

⑤ :時給は上がったりするんですか。
　:ええ。半年ごとに見直しをして、能力や成果（a. によっては　b. に応じて）決めます。

⑥ :すみません、肉が食べられない者が二人いるんですが、何かほかの料理はできますか。
　:はい。お客様のご要望（a. によっては　b. に応じて）いろいろご用意いたします。

（Qの答え：a）

42 AといえどもB　AとはいえB

Q 🙂はa、bどちらで答えればいいですか。

👤：もう12月なんですね。
🙂：a. ええ。でも、12月とはいえ、今年は暖かい日が多いですねぇ。
　　b. ええ。でも、12月といえども、今年は暖かい日が多いですねぇ。

📓 どちらも「AけれどもB」という意味。「AといえどもB」は「能力・許可」など、「AとはいえB」は「感想・評価」などについて述べることが多い。

AといえどもB	AとはいえB
1「AといえどもB」は、「（AならBではないのが普通だが）AなのにBだ」「たとえAでもBだ」ということを表す表現。	1「AとはいえB」は、Aについて「そのイメージに合わない」「それから予想・期待されることと違う」と感じること表す表現。
2［Q］12月といえども：「たとえ12月でも」という意味になる。🙂は「暖かい日が多いですね」と現実のことについて言っているので、合わない。	2［Q］12月とはいえ：🙂は「（12月は普通、もっと寒いはずなのに、今年は例年と違って）12月なのに暖かい」と言っている。
3 Bには「たとえAでも避けられないこと」＝「能力・許可に関する否定的なこと」や「義務」が来ることが多い。 ○ 先生といえども、これは知らないだろう。 ○ 誰だ、ガラスを割ったのは！　子供といえども許さんぞ！	3 Bには「（普通のイメージと異なる様子についての）話し手の判断・評価・感想」が来ることが多い。 ○ 子供とはいえ、一人の人間です。 ○ 初めてとはいえ、あまりに下手だ。

例文

① 👤：子供の持ち物とはいえ、最近は高価なものが増えてきましたね。
　👤：そうですね。私のより高い場合も多いですからね。
② 👤：このボランティアの仕事は、毎回必ず来なければならないんですか。
　👤：はい。ボランティアといえども、来たり来なかったりでは困りますので。
③ 👤：親が子供の心配をして、何が悪いんですか。
　👤：心配するのは大いに結構です。ただ、家族といえども、プライバシーは尊重してあげてください。

練習

次の（　　）のa、bのうち、文の内容に合うほうを選びなさい。

❶ 👤：受験勉強でも、休校の時は学校に入れないんですか。図書室を使いたいんですが。
　👤：ええ。受験勉強（a. とはいえ　b. といえども）、だめなんです。全部鍵を閉めてしまいますから。

❷ 👤：ここは創業300年で、歴史的にも価値のある旅館なんですって。
　👤：でもなあ……歴史のある旅館（a. とはいえ　b. といえども）、部屋にテレビがないのは嫌だな。

❸ 安い（a. とはいえ　b. といえども）、まずい店だなあ。

❹ 👤：最新型のパソコン（a. とはいえ　b. といえども）、絶対故障しないとはいえないと思う。
　👤：わかってるって。だから、保証書は大切に取ってあるよ。

❺ 👤：えっ、あの人にそんなことを言ったの？　彼女が講師の先生だよ。
　👤：そうなの!?　知らなかった（a. とはいえ　b. といえども）、失礼なことを言ってしまったなあ。

（Qの答え：a）

43 AにしてはB　AにしてもB

Q 👦くんの算数と国語のテストの成績を見て、お母さん（👩）が言いました。a、bどちらが正しいですか。

👦：お母さん、これ、この間のテスト。
👩：ふ～ん、算数はそんなに勉強していないにしては①（a. いい　b. わるい）わね。
　　でも国語は……勉強していないにしても②（a. いい　b. わるい）わね。

📓 どちらも「Aという事実から思っていたことと、Bという結果が違う」という意味だが、「AにしてはB」は意外な気持ち、「AにしてもB」は納得できない気持ちを表す。

AにしてはB	AにしてもB
1「Aから予想されたのと異なり、（むしろ逆の）Bという結果だった」ことへの意外な気持ちを表す。	1「事実としてAを認めながら、Aにもやり方や限度がある。単にAというだけではだめ」という納得できない気持ちを表す。
2［Q］お母さんは「👦が算数をあまり勉強していないから成績が悪い」と思っていたが、テストの結果は意外とよかった。	2［Q］お母さんは「👦が国語を勉強していないから成績が悪い」と思っていたが、結果は予想以上に悪かった。
3会話では、相手の言葉を「それ」で表し「それにしては……」と言う使い方もある。 👦：あの人、10年、中国に住んでいたそうよ。 👩：<u>それにしては</u>、中国語が下手ね。 上の文は「10年、中国に住んでいたにしては、中国語が下手だ」と言い換えることができる。「10年住んでいる人の普通のレベルに比べてかなり下だ」という意味。	3会話では、相手の言葉を「それ」で表し「それにしても……」と言う使い方もある。 👦：あの人、10年、中国に住んでいたそうよ。 👩：<u>それにしても</u>、中国語が上手ね。 上の文は「10年、中国に住んでいたにしても、中国語が上手だ」と言い換えることができる。「10年住んでいる人の普通のレベルよりかなり上だ」という意味。

例文

① 🧑：まり子、今日は帰りが遅くなるって言ってたんだろう？
　👤：言ってたけど、それにしても遅すぎるでしょ。だって、もう2時よ。

② 🧑：あの子、小学生にしては大きくない？
　👤：うん、まるで高校生みたいだな。

③ 🧑：結局、一年間でダイエットに30万円も使ってるよ。
　👤：それにしては、あんまり効果がないんじゃない？

練習

次の（　）のa、bのうち、文の内容に合うほうを選びなさい。

❶ 🧑：この指輪、高いね。
　👤：ほんとだ。でも、ダイヤモンド（a. にしては　b. にしても）、あんまり光っていないね。

❷ 🧑：あそこのうちはあちこちに不動産を持ってるらしいよ。
　👤：やっぱりね。それ（a. にしては　b. にしても）すごい家に住んでるね。

❸ 🧑：課長って、学生時代に柔道の大会で優勝したことがあるんだって。
　👤：へ〜、それ（a. にしては　b. にしても）弱そうだなあ。

❹ 🧑：これは最高級の牛肉ですよ。
　👤：わ〜、いただきます！　ん？　最高級（a. にしては　b. にしても）硬すぎない？

❺ 🧑：それ（a. にしては　b. にしても）すごい人ごみだね。
　👤：ほんと。込むとは思ってたけど、こんなにとは思わなかった。

（Qの答え：①a、②b）

44 Aどころか Bも　Aばかりか Bも

Q 🧍の答え方は、a、bどちらがいいですか。

🧍：お宅のご主人、野菜作りがご趣味なんですってね。
🧍：（a. 趣味どころか　b. 趣味ばかりか）最近は会社をやめて農業を始めたいって言い出してます。

「AどころかBも」は「程度」に、「AばかりかBも」は「対象の範囲」に重点を置く。

AどころかBも	AばかりかBも
1「AどころかBも」は、「相手が言った言葉」や「会話で話題になったこと」などを取り上げて、「そんなレベルではない、もっとだ」と、より程度が高いもの（B）を示す表現。	1「AばかりかBも」は、「Aだけでも十分なのに、さらにBも」という意味。
2「〜どころか」は、予想や期待を強く否定して、「〜というようなレベル・状況では全くなく」のニュアンス。 ○ 冬のボーナス、減額どころかゼロ！	2「ばかり」は「だけ」の意味。
3［Q］aでは「"趣味のレベルを超えて"職業にしたい」と言っている。	3［Q］bでは「趣味と職業の両方で農業をやりたい」という意味になる。ここでは「趣味が発展して仕事に」という変化について言っているので、適当ではない。
4「AではなくB」という場合（i）と「AだけでなくBも」という場合（ii）がある。 🧍：沖縄、どうだった？　雨だったんでしょ？ 🧍：（i）雨どころか、いい天気だったよ。 　　（ii）雨どころか、風も強くて、ホテルの外に出られなかったよ。	

POINT　「AどころかBもPない」の形で「A、BどちらもPない」と両方打ち消すことで「何も〜ない」という意味になる。

○ 満員電車では、新聞を読むどころか、手帳を見ることもできない。

例文

① 😀：この前のテスト、だめだったよ。80点ないかもしれない。
　😀：私は80点どころか、50点もないよ、きっと。
② 😀：彼女の家、車が5台あるんだって。すごいね。
　😀：それどころか、庭にプールもあるんだって。
③ うちの父親も年をとったよ。ちょっと見ない間に、髪ばかりかひげまで白くなっちゃって。
④ 昨日の試合では、選手ばかりか監督も退場になった。

練習

1 次の（　）に入る言葉を｛　｝のa、bから1つずつ選びなさい。

❶ ぼくは（　　　）どころか（　　　）のもいやなんだ。　｛a. 水に入る　b. 泳ぐ｝
❷ 台風が来たら、（　　　）どころか（　　　）かもしれない。
　　　　　　　　　　　　　　　　｛a. 電車が止まる　b. 道路も通行止めになる｝
❸ 検査前は（　　　）どころか（　　　）こともできない。　｛a. 食事　b. 水を飲む｝
❹ その宿は山の奥地にあって、（　　　）どころか（　　　）もないんだ。
　　　　　　　　　　　　　　　　　　　　　　　　｛a. シャワー　b. お風呂｝
❺ 彼は（　　　）どころか（　　　）こともなかった。
　　　　　　　　　　　　　　　　　　　　　　｛a. あいさつする　b. 目を合わせる｝

2 次の（　）のa、bうち、文の内容に合うほうを選びなさい。

❶ お茶（a. どころか　b. ばかりか）夕飯までごちそうになって、恐縮です。
❷ 😀：うちの会社、昼休みが45分しかないんだ。
　😀：いいほうだよ。私なんか、お店で働いてるから、45分（a. どころか　b. ばかりか）30分もないんだよ。
❸ 😀：駅前のレストラン、いつも人がいっぱいだね。
　😀：あそこは安い（a. どころか　b. ばかりか）味もすごくいいっていう評判だよ。
❹ 😀：奥さん、毎朝ジョギングをしているんですって？
　😀：それが、朝（a. どころか　b. ばかりか）夕食後も走るようになって……。
❺ 😀：駅までここから歩いて40分だって。結構遠いね。
　😀：40分!?　結構（a. どころか　b. ばかりか）、めちゃくちゃ遠いよ！

(Qの答え：a)

45 AばかりでなくBもP　AばかりかBもP

Q 野菜を食べない子供にお母さんが注意しています。a、bどちらで答えればいいですか。

母：a. お肉ばかりじゃなく、野菜もちゃんと食べなさい。
　　b. お肉ばかりか、野菜もちゃんと食べなさい。

どちらも「AもBもP」という意味を持つが、「Aばかりでなく」は「Aだけでは十分ではなく……」、「Aばかりか」は「Aだけでも十分なのに……」というニュアンスを含む点で異なる。

AばかりでなくBもP	AばかりかBもP
1「AばかりでなくBもP」は「Aだけでは十分ではなく／Aだけにとどまらず、BもPだ」ということを表す。 ○ 彼は英語ばかりでなく、スペイン語も話せる。（＝英語にとどまらず、スペイン語も話せる）	1「AばかりかBもP」は「Aだけでも十分なのに、さらにBもPだ」ということを表す。Pには、命令や依頼など、人に働きかける内容は来ない。強い驚きの気持ちを含む ○ 彼は英語ばかりか、スペイン語も話せる。（＝英語だけでも十分なのに、そのうえスペイン語も話せる）
2［Q］aは「肉だけではだめだ。野菜も必要だ」という意味。	2［Q］bには「肉だけでも十分」という意味はない。また、「食べなさい」という命令の表現なので、bは間違い。

POINT Bが「全体、みんな、いろいろな～」などの場合、「AばかりでなくBが／に／を」や「AばかりかBが／に／を」などの形をとる。

○ 彼女ばかりでなく、みんなが反対した。
○ 先生は、彼女ばかりか、全員におごってくれた。
○ 東京や京都ばかりでなく、いろいろな所を訪ねた。

例文

① 🧑：地球温暖化で北極のシロクマが絶滅の危機なんでしょ。かわいそう。
　👤：でも、温暖化の影響は北極ばかりじゃなく、地球全体に出ているからね。

② 🧑：原子力発電の利用について、どう思いますか。
　👤：原発は危険なばかりか、事故が起きた場合や最後の処理のことを考えたらコストも非常にかかるので、私は反対です。

③ 🧑：このホールは結婚式場としてばかりでなく、国際会議やパーティーの会場など、さまざまな目的にご利用いただけます。
　👤：なるほど。それで、近くの人ばかりか、県外からの利用者も多いんですね。

練習

次の（　）のa、bのうち、文の内容に合うほうを選びなさい。両方合う場合は、両方選びなさい。

❶ 🧑：教育心理学の授業はどう？
　👤：うーん、ちょっと不満だな。理論的なこと（a. ばかりじゃなく　b. ばかりか）、実践的なこともっと教えてほしい。

❷ 🧑：あそこの家、泥棒に入られたって聞いたけど、何を盗られたの？
　👤：それが……宝石や現金（a. ばかりじゃなく　b. ばかりか）服や家電なんかも盗られたんだって。

❸ 🧑：医者からやせろと言われたから、今、食事制限をしているんだ。
　👤：実は、僕もそう。食事制限（a. ばかりじゃなく　b. ばかりか）、運動もしろって言われてるよ。

❹ 🧑：今週末から5日ほど休みをとって、北海道にスキーに行ってきます。
　👤：それはいいですね。仕事をする（a. ばかりじゃなく　b. ばかりか）、たまには遊びも必要ですからね。

(Qの答え：a)

46 AたところでB　AてもB

Q 👤は👤が見たいと思っている映画を先に見に行きます。👤はa、bどちらを使えばいいですか。

👤：👤さんが見たいって言ってた映画、明日、見に行くかもしれない。
👤：私も見るつもりだから（a. 見たところで　b. 見ても）内容は言わないでね。

どちらも「AけれどもB」という逆接を表す。「AたところでB」は否定的・消極的な気持ちを表すものと限られるが、「AてもB」はさまざまな状況で使える。

AたところでB	AてもB
1「AたところでB」は「もしAをしても、B（悪い結果）になるだろう」という意味。あきらめや消極的な気持ちを表す。「だから、あまりAはしたくない」という気持ちのときによく使う。	1「AてもB」は「AけれどもB」「Aという条件でも、（Aから予想されるのと異なり）Bという結果になる」という意味。
2 Bには悪いこと（ⅰ）しか使えない。また、依頼や意向など（ⅱ）の表現は使えない。 ○ 運動したところでやせないだろう。（ⅰ） × 明日は雨が降ったところで楽しいと思う。（ⅰ） × 頑張ったところで、必ず合格したい。（ⅱ）	2 Bには、いいこと（ⅰ）も悪いこと（ⅱ）も使え、形に制限はない。また、既に起こったこと（ⅲ）にも使える。 ○ 明日は雨が降っても楽しいと思う。（ⅰ） ○ 注意しても聞かないだろう。（ⅱ） ○ 先生に聞いてもわからなかった。（ⅲ）
3［Q］👤の「もし映画を見ても、内容は言わないで」は依頼。「たところで」を受けて言うことはできない。	3［Q］「👤は映画の内容がわかるだろうが、言わないでほしい」と、👤は言っている。

POINT　「AたところでB」は「AてもB」に言い換えることができるが、「AてもB」がすべて「AたところでB」に換えられるのではない。

○ 走ったところで、もう間に合わない。→○ 走っても、もう間に合わない。
○ 走っても、もう痛くなくなった。→× 走ったところで、もう痛くなくなった。

例文

① 🧑：彼に会うんですか。
　 👤：会ったところで、何も話すことはありません。
② 🧑：両親に相談してみたらどうですか。
　 👤：ええ。でも、話したところで、反対されるに決まっています。
③ 🧑：夕べも暑かったですね。全然寝られませんでしたよ。
　 👤：ええ。12時過ぎても気温が下がらず、熱帯夜でしたからね。

練習

次の絵を見て、「　　」の形や言葉を使った文を書きなさい。

❶「～ても～ません」

❷「～ても～ません」

❸「～ても～ません」

❹「～ても試合を～」

❺「～たところで～てもらえないよ」

❻「～たところで、もう～ません」

(Qの答え：b)

47 AかぎりB　AからにはB

Q 😊は忙しい場合、クラス会に参加しますか、参加しませんか。また、a、bどちらの言い方が正しいですか。

　😊：ねえ、日曜日のクラス会、参加するでしょ？
　😊：a. うん、忙しくないかぎりね。
　　　 b. うん、忙しくないからにはね。

📓 どちらも「A（という条件）ならB」の意味を持ち、Bで自らの覚悟などを述べる場合は両方使え、意味も似たものになる。

AかぎりB	AからにはB
1 「AかぎりB」は「Aという状態のうちはBが成立する」「Aの範囲ではBだ／Bということがいえる」という意味。これは同時に、「AでなければBではない」という意味を含む。	1 「AからにはB」は「Aと決めたのだからBするのは当然だ」という意味。Aには「決まったこと」や「起きたこと」などが来る。Bには「自分の覚悟を表したり相手に覚悟を求めたりする表現」や「当然〜だという判断」「個人的な感情や気持ち」などが来る。
2 ［Q］忙しくないかぎりね： 「忙しくない状態ならね」という意味。「"忙しくない"ということはない→忙しい」（＝Aでない）場合は「出席しない（＝Bでない）」という意味を含む。	2 ［Q］忙しくないからにはね： この「忙しくない」は、実際にそうだと決まったことではなく、仮定のこと。また、😊の発言には、覚悟の表現や個人的感情などは、特に含まれていない。

POINT　Bに「"最後までやる"といった覚悟」や「"当然〜だ"といった判断」を表す表現が来る場合は、「AかぎりB」「AからにはB」の両方が使える。意味もあまり変わらないが、「AからにはB」のほうが「Aだからぜひ／必ず／何としてもB」と、Bを強めるニュアンスがある。

　①引き受けた<u>かぎり</u>、最後までやります。
　②引き受けた<u>からには</u>、最後までやります。
　③メンバーである<u>かぎり</u>、ルールを守らなければならない。
　④メンバーである<u>からには</u>、ルールを守らなければならない。

例文

① : このことは、あまり人に言わないほうがいいだろうね。
  : そうだね。まあ、誰かに聞かれでもしないかぎり、言うつもりはないけど。
② : こういう規則はおかしいと思う。人それぞれの考え方があるんだから。
  : そうかもしれないけど、寮に住むかぎりは、寮のルールを守らないと。
③ : よほどのアクシデントでもないかぎり、さんが優勝するんじゃないかと、みんな期待していますよ。
  : ありがとうございます。出るからには優勝を目指したいと思います。

練習

次の（　）のa、bのうち、文の内容に合うほうを選びなさい。両方合う場合は、両方選びなさい。

❶ : 田中さんって、どんな人？
  : 僕が知っている（a. かぎり　b. からには）、決してうそをつかない正直な人。

❷ : ほんとにこの店なの？　もう一軒あるんじゃないの？　駅の反対側とか。
  : いや、ぼくの知る（a. かぎり　b. からには）、ABCカフェはここだけだよ。

❸ : とにかく努力を続けることが大切です。努力を続ける（a. かぎり　b. からには）、いつかは成功します。
  : そうですね。夢を持って東京に出てきた（a. かぎり　b. からには）、強い意志を持って頑張ります。

❹ : 晴れてきたのに、まだ大雨警報が出たままですね。
  : ええ。残念ですが、警報が出ている（a. かぎり　b. からには）、今日のイベントは中止せざるを得ませんね。

（Qの答え：参加しない、a））

48 AならB

Q 👤は「食べる」と「洗う」のどちらを先にしますか。

👤：このリンゴ、食べてもいい？
👤：食べるなら、洗ってね。

📓 「AならB」は、相手の話を聞いたり、その場の状況を見たりしてから、自分の行動を決めたり、助言や提案などをしたりするときに使う。

「AたらB」に変えられないパターン	「AたらB」に変えられるパターン
1「B→A（Aの前にB）」の順： 👤：アルバイトを探しているんですけど。 👤：アルバイトをするなら、事務室に届け出をして、許可をもらってからにしてください。（⇒アルバイトをする前に届けを出す）	1「A→B（AのあとでB）」の順： 👤：今度の休み、沖縄に行くんですよ。 👤：沖縄に行くなら、水族館はぜひ行ってみて。感動するよ。（⇒沖縄に行って、水族館に行く）

[Q] ここでは、「👤が"食べる"前に"洗う"こと」が求められている。「食べる」が先の場合は「食べたら、洗って」。

POINT　「AならB」には、「行動の前後」が関係ない使い方もある。その場合、Bには「意見」や「評価」が来ることが多い。

👤：彼は徹夜で試験勉強をしていたらしいよ。
👤：まじめな彼なら、していそうね。

例文

① 🧑：健康のためにジョギングを始めることにしたよ。
   🧑：本格的に走るなら、靴もちゃんと選んだほうがいいよ。
② 🧑：お腹いっぱい。もうこれ以上入らない。
   🧑：え～、そんなに残すの!? 食べられないなら、頼まなければいいのに。
③ 🧑：今日は田中さんが休みで、人手が足りないんです。
   🧑：それなら、お手伝いしますよ。

練習

次の｛　｝のa、bは、どちらが先ですか。先になるほうを選びなさい。

❶ 🧑：行ってきます。
   🧑：行ってらっしゃい。帰りが遅くなるなら電話してね。
       ｛a. 帰ります　b. 電話します｝

❷ 🧑：私は冬休みの間、国に帰る。
   🧑：国に帰るなら、絵はがきを買ってきてほしいな。集めてるから。
       ｛a. 帰ります　b. 買います｝

❸ 🧑：先輩、昨日は練習を休んですみませんでした。急にお腹が痛くなったんです。
   🧑：休むなら、ちゃんと連絡してくれないと。心配するじゃない。
       ｛a. 休みます　b. 連絡します｝

❹ 🧑：お母さん、お兄ちゃんがアメリカの学校に行くって、ほんと？　お兄ちゃんがアメリカの学校に行くなら、ぼくも行きたいよ。
   🧑：そうね。あなたがもう少し大きくなったらね。
       ｛a. 大きくなる　b. アメリカに行く｝

❺ 🧑：この前作ってくれた料理、あれ、おいしかったなあ。
   🧑：ああ、あれ？　食べたいなら、また作ってあげるよ。
       ｛a. 食べたいと思う　b. 作る｝

(Qの答え：洗う)

49 AくせにB(+「AのにB」)

Q 👤はa、bどちらで答えればいいですか。

👤：見た？ 子供のくせに、あの態度。
👤：ほんと、（a. 立派ね　b. 生意気ね）。

📓 「AくせにB」は、「AのにB」と同じく、「Aから当然考えられることとBが違うこと」を表す表現。使う対象や話し手の気持ちに少し差がある。

「AくせにB」(+「AのにB」)

1 「AくせにB」は「AとBが食い違っている」ことを表す逆接の表現で、人の態度などを非難したり低く評価したりする気持ちを強く含む。

2 [Q] 子供の態度に好感を持っていない👤に*同調する答えとして、bが正しい。
*同調：ほかの人と調子を合わせること。

3 「AくせにB」の場合、AとBの主体は同じでなければならないが、「AのにB」の場合は、同じでなくてもよい。
× 彼は配慮がないな。子供が聞いているくせに、難しい話をする。
○ 彼は配慮がないな。子供が聞いているのに、難しい話をする。

4 「くせに」は、基本的には他人の行動や態度などについて言う表現。
○ 彼女はほんとは彼が好きなくせに、素直に「好きだ」と言えないんです。

ただし、自分に対して距離を置いて客観的に言う場合には使う。
○ （私は）ほんとは彼が好きなくせに、素直に「好きだ」と言えないんです。

5 「くせに」「のに」が文末に来る表現
◆「くせに」が文末に来る場合：
（実際の行動とは異なる）相手の嘘や本当の気持ちを指摘する表現になる。
○ 知らん顔してもダメよ。知っているくせに。

◆「のに」が文末に来る場合：
「実現しなかったこと」への残念な気持ちを表し、仮定の表現を使った「〜ば / た

ら……のに」の形をとることが多い。「誰かが何かをしなかったこと」への非難の気持ちを含むこともある。
○ 言ってくれれば、駅まで迎えに行ったのに。

> 例文

① 👤：ダイエットしている<u>くせに</u>、ケーキなんか食べていいの？
　 👤：あ、見られちゃった。
② 彼はどこも悪くない<u>くせに</u>、熱があるみたいだと言って、早退してしまった。
③ 👤：熱い！　……やけどしちゃった。
　 👤：だから、熱いから気をつけろって言った<u>のに</u>。
④ まじめに働いているし、結果も出している<u>のに</u>、なかなか上司に認められない。

練習

1 次の（　　）のa、bのうち、文の内容に合うほうを選びなさい。

❶ 彼はまじめに努力している（a. くせに　b. のに）なかなか成績が上がらない。
❷ あの人、晴れている（a. くせに　b. のに）傘をさして歩いている。
❸ 友だちの（a. くせに　b. のに）、彼女は本当のことを言ってくれない。
❹ 👤：駅から30分もかかっちゃった。
　 👤：タクシーを使えばよかった（a. くせに　b. のに）。
❺ 👤：彼は来日してまだ3カ月な（a. くせに　b. のに）、日本語が上手なんです。
　 👤：へー、じゃ、国で勉強してきたのね。
❻ 👤：彼女、かわいそう。恋人にふられたんだって。
　 👤：本当は喜んでいる（a. くせに　b. のに）。彼女のこと、あんまり好きじゃないんでしょ。

2 正しいほうに○を書いてください。

❶ 知らないくせに　{ （　　）知っているなんて言わないで。
　　　　　　　　　 （　　）勉強したのね。　　　　　　　　 }

❷ お腹が空いているのに　{ （　　）彼はたくさん食べた。
　　　　　　　　　　　　　（　　）彼は少ししか食べなかった。 }

❸ うちの息子は　{ （　　）大学生の
　　　　　　　　 （　　）子供の　 } くせにマンガばかり読んでいる。

(Qの答え：b)

50 AわりにB　AくせにB

Q 😀はレストランの料理についてa、bどちらだと思いましたか。

😀：あのレストランの料理、どうだった？
😀：三つ星のくせにサービスがね……。料理も高いわりには（a. 期待したとおりだった　b. 期待したほどではなかった）よ。

📓 どちらも「普通のイメージと違う結果」への驚きを表す表現。「AくせにB」のほうが、非難したりあきれたりする気持ちが強い。

AわりにB	AくせにB
1 「AわりにB」は「Aから予想・期待されることとBが合わない」「AとBのバランスがとれていない」ことを表す。 ○ 天気がよかったわりに、人が少なかった。 ○ 前評判がよかったわりに、ヒットしなかった。 2 Bには「いい評価」と「悪い評価」の両方が使える。 ○ 安いわりにおいしい。 ○ 高いわりにおいしくない。 3 ［Q］高いわりには〜： 値段が高いということは高級ということ。そこで、「高い→高級→おいしい」と予想したが、それに反して「おいしくない」という結果だった。	1 「AくせにB」は、「AなのにB」と非難したりあきれたりする気持ちを表す。 2 Bには、話し手の「マイナス評価」や「驚き、不満、疑い、あきれる気持ち」などを表す内容が来る。 ○ 知っているくせに教えてくれない。 ○ うれしいくせに我慢をしている。 ○ 子供のくせによく気がつく。 3 ［Q］三つ星のくせにサービスが〜： 「星」の数はレストランやホテルの評価を表し、数が多いほど「高級」「一流」であることを意味する。つまり、「高級なのにサービスがよくない」と、レストランへの不満や非難を表している。

POINT 😀が「三つ星のわりにサービスが悪い。高いくせに……」と言ったら、「三つ星のサービスを期待していたのに、あまりよくなかった。それに合わない高い値段にも不満だ」という意味になる。

例文

① :お相撲さんって、みんな太っているのに、この人はそんなに太ってないね。
　:うん。相撲取りのわりにスタイルがいいから女性にも人気があるんだよ。
　*お相撲さん・相撲取り：相撲をする人。特にプロで相撲をする人。

② :田中さん、どんな様子だった？
　:病気だって言うわりには元気そうだったよ。

③ :何を怒っているの？
　:だってうちの部長、自分が失敗したくせに、すぐ人のせいにするんだから。

練習

1 次の（　　）のa、bのうち、文の内容に合うほうを選びなさい。

❶ :彼女、よく食べるね。
　:そうね。でも、食べるわりに（a. 太っている　b. やせている）よね。

❷ :お父さんは、お酒を飲まれるんですか。
　:ええ、好きですよ。でも、好きなくせに（a. 家では飲まない　b. 家で飲む）んです。

❸ :昨日、ABCランドに行ったんでしょ。どうだった？
　:天気がよかったわりに（a. 空いていた　b. 込んでいた）よ。

❹ :彼は、知らないくせに（a. 知っている　b. 知らない）って言うからね。
　:困った人だよね。

2 次の（　　）のa、bのうち、文の内容に合うほうを選びなさい。

❶ 首相の（a. わりに　b. くせに）こんな漢字を知らないなんて、国民として恥ずかしいよ。

❷ この服、値段の（a. わりに　b. くせに）素材があまりよくないね。

❸ ぼくは60キロもないんです。身長の（a. わりに　b. くせに）体重が軽くて。

（Qの答え：b）

111

51 AにもかかわらずB　AもののB

Q 😀はa、bどちらで答えればいいですか。

😀：どうしたんです？　彼、また何か問題を？
😀：あんなに注意した（a. ものの　b. にもかかわらず）、また商品を割ったんですよ。

📓 どちらも「Aから予想されることと異なること」を述べる表現。「AにもかかわらずB」は「結果に対する驚きや残念な気持ちを表すこと」、「AもののB」は「柔らかく反対のことを述べること」に重点を置く。

AにもかかわらずB	AもののB
1 「AにもかかわらずB」は「AなのにB」という意味。「Aから当然予想される結果にはならず、Bになる」ことを表す。 話し手の「意外だ、残念だ」という気持ちを含む。 ○ ほんとにあきれる。あれだけ言ったにもかかわらず、何もやっていないんだから！ ○ 優勝が期待されたにもかかわらず、日本は初戦で負けてしまった。 2 [Q] 😀は「注意したのに、自分の予想と違う結果になっている」と言いたい→bは正しい。	1 「AもののB」は「AだけどB」という意味。「Aを認めながら、それと違う結果（B）になる」ことを表す。 AとBは軽い逆接の関係。「当然の結果を予想して、そうならなかった場合」など、強い逆接には、あまり使わない。 ○ A席のチケットは取れなかったものの、B席のチケットは取れた。 × 受付1時間前に行ったものの（→にもかかわらず）、席が取れなかった。 2 [Q] 😀は「注意したから、当然、割らないはずだ」と予想している→aは使わない。 3 「AとはいうもののB」のAには、「一般的な見方・考え方」や「得た情報」などが来る。 ○ 日本の夏は暑いとはいうものの、せいぜい2カ月くらいだ。

例文

① 👤：また登山客が山で遭難したらしいね。
   👤：天気が悪い<u>にもかかわらず</u>、無理に登ろうとするからだよ。
② 👤：パーティーはどうでした？ 郊外のレストランでやったんですよね。
   👤：はい。場所は不便だった<u>ものの</u>、景色がきれいで、よかったですよ。
③ 👤：なかなか景気がよくならないですね。
   👤：そうですね。去年に比べると少しは回復した<u>ものの</u>、まだまだですよね。

練習

次の（　）のa、bのうち、文の内容に合うほうを選びなさい。

❶ 👤：先生は「いつでも相談に来ていい」って言ってくれたんでしょ。
   👤：はい。でも、そう言われた（a. にもかかわらず　b. ものの）、先生にはなるべく迷惑をかけたくないんです。

❷ 👤：田中さんのお嬢さん、結婚なさるんですってね。
   👤：ええ、ご両親が反対なさった（a. にもかかわらず　b. ものの）、その音楽家の方と……。

❸ 👤：一つ一つ手作りである（a. にもかかわらず　b. ものの）、このお値段なんです。
   👤：へー、安い。

❹ 👤：工事がだいぶ遅れているみたいですね。
   👤：はい……。いろいろ努力してはいる（a. にもかかわらず　b. ものの）、先月の悪天候の影響が大きいようでして。

❺ 👤：上の階の人に注意したんですか。
   👤：ええ。でも、言ってはみた（a. にもかかわらず　b. ものの）、ちゃんと静かにしてくれるかどうか、わかりません。

❻ 👤：何をそんなに怒っているの？
   👤：それが、飲み会の予約、先週ちゃんとした（a. にもかかわらず　b. ものの）、「承っておりません」って言うんだよ。予約も、もういっぱいだって言うし。

(Qの答え：b)

52

Aせい（でB）　Aおかげ（でB）

Q 👤の言い方は、a、bどちらが正しいですか。

👤：最近、目が悪くなったみたいなんだ。
👤：a. パソコンばかりしているせいで悪くなったのよ。
　　b. パソコンばかりしているおかげで悪くなったのよ。

📓 基本的には、「AせいでB」は「マイナスの結果」について、「AおかげでB」は「プラスの結果」について使う。

Aせい（でB）	Aおかげ（でB）
1 「AせいでB」は「Aという理由・原因でBという悪い結果になった」という意味。「Aせい」は「Aを責めたり、後悔したりする気持ち」を表す。	1 「AおかげでB」は「Aという理由・原因でBという良い結果になった」という意味。「Aおかげ」は「Aに感謝したり、ほっとしたりする気持ち」を表す。
2 [Q] パソコンばかりしているせいで：「目が悪くなった」という悪い結果について言っているので、aは正しい。	2 [Q] パソコンばかりしているおかげで：「上手になった」など、良い結果なら「おかげで」を使う。「目が悪くなった」のは悪いことなので、bは間違い。

POINT　「おかげで」は、皮肉やユーモアなどを込める場合（ⅰ）は、悪い結果にも使う。また、前の内容を受けて、文頭に来る場合（ⅱ）もある。

（ⅰ）お父さんの予想を信じた<u>おかげで</u>、雨でびしょびしょになっちゃったよ。やっぱり傘を持っていけばよかった。

（ⅱ）やっと会議が終わったと思ったら、田中さんが余計なことを言いはじめたんです。<u>おかげで</u>1時間延長になりましたよ。

> **例文**

① 🧑：商売の調子はどうですか。
　 🧑：それが……今年は冷夏のせいで、夏物の家電が全然売れなかったんです。
② 🧑：δさんは、最近の若い人には珍しく、正しい敬語が使えるね。
　 🧑：ありがとうございます。子供の頃から親が言葉遣いを厳しく注意してくれたおかげだと思います。
③ 🧑：あ～あ、また今年も、雨のせいで運動会が中止になっちゃったね。
　 🧑：私は運動が苦手だから、雨のおかげで助かったよ。

練習

絵を見て、「AせいでB」か「AおかげでB」を使った文を作りなさい。

❶ 父から電話が（　　　　　　）、
バスに（　　　　　　）。

❷ たくさん（　　　　　　）、
おなかが（　　　　　　）。

❸ 一生懸命（　　　　　　）、
テストは（　　　　　　）。

❹ 夜、コーヒーを（　　　　　　）、
なかなか（　　　　　　）。

❺ 無理して（　　　　　　）、
（　　　　　　）。

(Qの答え：a)

53 AことでB　AことからB

Q 👤に👤が話しかけています。👤は a、b どちらで答えればいいですか。

👤：彼はまだ弁護士をめざすのかなあ。
👤：いや、今回不合格になった（a. ことで　b. ことから）、あきらめるみたいだよ。

📓 どちらも「Aが原因でB」ということを表し、意味や使い方が非常に似ているが、「AことからB」の場合、「AからBに発展」というニュアンスを含む。

AことでB	AことからB
1 「AことでB」は「Aが直接の原因でBとなる」ということを客観的に述べる表現。 ○ 市長は、交通渋滞の問題を解決したことで、高く評価されるようになった。	1 「AことからB」は、「Aがきっかけとなって、Bの事態に発展した」ときに使う。 ○ 大臣が不注意な発言をしたことから、新たな外交問題が生じた。
2 ［Q］👤があきらめた原因は「今回不合格になったこと」→aが正しい。	2 ［Q］「今回不合格になったこと」が「あきらめた」原因になっているが、「発展した事態」ではない→bは間違い。
3 「AことでB」は、単なる理由には使いにくい。 × 朝ご飯を食べなかったことで、おなかが空いた。 ○ 4日間何も食べなかったことで、胃が少し小さくなったんだろう。	3 「AことからB」のBには依頼・命令などの表現は使いにくい。 × 日本語がわからないことから訳してもらえませんか。 ○ 日本語がわからないことから、アルバイト先で誤解を招くことがある。
4 「AことでB」には「AということでB」という形もある。 ○〈ラジオで〉もうすぐ桜の季節ということで、桜の歌のリクエストです。	

POINT　「AことでB」と「AことからB」には、「原因・理由」のほか、「手段・方法」の意味での使い方もある。

🧑:毎朝6時に起きてるんですか!? 早いですね。
👤:朝早く起きることで、時間を有効に使うことができると思うんです。

例文

① 🧑:1カ月入院したんですか。大変でしたね。
　 👤:はい。でも、病気になったことで、健康に気をつけるようになりました。
② 🧑:この辺り、にぎやかになったね。
　 👤:ええ、新しい駅ができたことで、お店も人も増えましたからね。
③ 🧑:あれ？ 田中課長を知ってるの？
　 👤:ええ、実は兄が田中課長と大学で同期だったことから、以前から何かとお世話になっていたんです。

練習

次の（　　）のa、bのうち、文の内容に合うほうを選びなさい。

❶ 🧑:どこが優勝するでしょうね。
　 👤:優勝候補が負けた（a. ことで　b. ことから）、わからなくなりましたね。

❷ 目は「心の窓」とも言われる。相手の目をしっかり見る（a. ことで　b. ことから）、気持ちを伝えることもできる。

❸ 恋人に「太っている」と言われたことから、娘は（a. 悲しんでいるようだ。　b. ダイエットを考えているようだ。）

❹ 家族がみんな元気でいる（a. ことで　b. ことから）、幸せを感じることができる。

❺ 町で声をかけられた（a. ことで　b. ことから）、映画の世界に入ることになったんです。

❻ 彼は売上を大きく伸ばした（a. ことで　b. ことから）、「社長賞」を与えられた。

(Qの答え：a)

54 AなりBなり　AたりBたり

Q 👤の発言内容として、a、bどちらが正しいですか。

👤：就職するか、大学院に行くか、まだ迷ってるよ。
👤：えっ、まだ決めてないの？
　　（a. 就職するなり大学院に進むなり、）早く決めたほうがいいよ。
　　（b. 就職したり大学院に進んだり、）

どちらも例を並べる表現だが、「AなりBなり」は「AでもBでも（どれでもいいから）」、「AたりBたり」は「AやBなど、いろいろ」という意味。

AなりBなり	AたりBたり
1「AなりBなり」は「AでもBでも、どれでも（かまわない）」という意味。 ○ アメリカなり中国なり、自分が行きたいと思うところに行けばいい。	1「AたりBたり」は「一つではなく、A（すること）やB（すること）など、いろいろ」という意味。
2 過去の出来事には使えない。 × 午後はずっと雨でしたが、ホテルで昼寝をするなりお茶を飲むなりしていました。	2 過去の出来事にも使える。 ○ 午後はずっと雨だったので、ホテルで昼寝をしたりお茶を飲んだりしていました。
3 [Q] 👤は「どれでもいいから早く決める」よう促しているので、aは正しい。	3 [Q] 👤は「進路を定める」ように言っているので、bは間違い。
4 相手の行動を促すときによく使う。「AでもBでも、それに似た別のものでもいいから、とにかく何か選んで、」という意味。 ○ 暇だったら、皿を並べるなり机を拭くなりしてよ。 ○ 予定が決まったら、電話なりメールなりで早めに知らせてください。	

例文

①👤：わからないことがあったら、自分で調べるなり先生に聞くなりしてください。わからないまま、放っておかないように。

②👤：今日、傘持って行くの忘れたから、びしょびしょになっちゃった。
　👤：どこかで*雨宿りするなり傘を借りるなりすればよかったのに。
　　　*雨宿り：雨に濡れないよう、一時的に屋根の下などにいること。

③👤：ほんとに一人暮らしなんかできるのか？　自分で洗濯したり料理作ったりするんだぞ。
　👤：心配しすぎだよ、お父さん。私だって、もう子供じゃないんだから。

練習

次の（　　）のa、bのうち、文の内容に合うほうを選びなさい。

❶👤：大学をやめて働きたいんだけど……。
　👤：大学をやめる!?　また勝手なことばかり言って……。もういい！　大学を（a. やめるなり働くなり　b. やめたり働いたり）、好きにしろ！

❷👤：出張は忙しかったですか。
　👤：うん。取引先をあちこち訪問（a. するなり　b. したり）、展示会の打ち合わせを（a. するなり　b. したり）で大変だったよ。

❸👤：友達がパーティーをするんだけど、何か持って行ったほうがいいかなあ。
　👤：そうねえ……（a. ワインなり花なり　b. ワインたり花たり）、何か持って行ったほうがいいね。

❹👤：旅行、どうだった？
　👤：二日とも雨が（a. 降るなりやむなり　b. 降ったりやんだり）の変な天気だったけど、楽しかったよ。

❺👤：昼間から家でゲームばかりしてないで、（a. 勉強するなり体動かすなり　b. 勉強したり体動かしたり）したらどう？
　👤：は〜い。

（Qの答え：a）

55 Aわ、Bわ　Aし、Bし

Q 👤の答えは、a、bどちらが正しいですか。

👤：お店で半額セールをしたんでしょ？　どうだった？
👤：それがさ、朝からお客さんが（a. 来るわ来るわ　b. 来るし来るし）、大変だったよ。

📓 どちらも「例を並べる」ことによる強調表現だが、「Aわ、Bわ」は主に「大変な様子」を、「Aし、Bし」は主に「いろいろある様子」を表す。

AわBわ	AしBし
1「Aわ、Bわ」は、AやBを例として挙げて、「（状況や様子が）大変だ」と説明する表現。Qの例のように、AとBで同じ動詞を繰り返して、その勢いを表すことも多い。	1「Aし、Bし」は、AやBを例として挙げて、「いろいろあること」を示す表現。A、Bに同じ動詞を使うことはない。
2 [Q] 👤は「客がどんどん来て大変だった」と言いたいので、aは正しい。	2 [Q] 👤のbは、AとBに同じ動詞を使っているので間違い。
3「Aわ、Bわ」には、「嫌だった、迷惑だった」という話し手のマイナス評価の気持ちが含まれることが多い。 👤：どうして引っ越したの？ 👤：部屋は狭い**わ**、お風呂はない**わ**で、とにかく不便だったからだよ。	3「Aし、Bし」は、プラスとマイナス、どちらでも使える。 👤：新しい部屋はどう？ 👤：駅に近くて便利だ**し**、窓から緑いっぱいの公園が見える**し**、快適だよ。

POINT　「Aわ、Bわ」は、過去や現在の状況の説明にしか使えないが、「Aし、Bし」は、これからの予定にも使える。

👤：夏休みの予定はもう立てた？
👤：まだだけど、勉強もしたい**し**、旅行にも行きたい**し**、アルバイトをしてお金も稼ぎたい**し**……。結構忙しくなりそうだなあ。

例文

① 🧑：新しい仕事、どう？
　👤：職場は遠い<u>わ</u>、休日出勤はある<u>わ</u>で、ちょっと大変。でも、先輩は優しい<u>し</u>、仕事は面白い<u>し</u>、まあ、我慢しなきゃね。

② 🧑：お正月はどうでした？
　👤：親戚は集まる<u>わ</u>、あちこち出かける<u>わ</u>で、結局、ゆっくり休めなかったよ。

③ 🧑：この前の台風、大丈夫でしたか。
　👤：ええ。でも、家の前の川はあふれる<u>わ</u>、停電になる<u>わ</u>で、ちょっと怖かったです。

練習

次の（　　）のa、bのうち、文の内容に合うほうを選びなさい。

① 🧑：👤さんは、どんな子供だったんですか。
　👤：親の言うことは守る（a. し　b. わ）、学校の成績はよかった（a. し　b. わ）、結構いい子だったと思いますよ。

② 🧑：息子さん、何かクラブ活動はしているんですか。
　👤：サッカー部に入ってるんですよ。毎日練習で、帰ったら、もう、食べる（a. し　b. わ）、食べる（a. し　b. わ）。

③ 🧑：来週、映画を見に行きませんか。
　👤：来週は会議もある（a. し　b. わ）、出張もある（a. し　b. わ）、ちょっと無理じゃないかと思います。

④ 🧑：昨日、田中君の引っ越し、手伝ったんでしょ。無事終わった？
　👤：まあね。でも、すごく疲れたよ。荷物が出てくる（a. し　b. わ）、出てくる（a. し　b. わ）。あんな狭い部屋によくあれだけ入ってたよ。

(Qの答え：a)

56 AずつB　AごとにB

Q 🧑 は a、b どちらで答えればいいですか。

👤：何かお手伝いしましょうか。
🧑：じゃ、このキャンディーを5個（a.ずつ　b.ごとに）袋に入れてくれる？

📓 どちらも「Aを一つのまとまりとしてB」の意味を持つ。「AずつB」は「どれだけの数量・時間を/がBするか」に、「AごとにB」は「どれだけの時間・数量でBするか」に重点を置く。

AずつB	Aごと（に）B
1「AずつB」は、「同じAという数や量で区切って、Bをくり返す」ことを表す。 ○ 一人に5枚ずつカードを配った。 ○ 一人ずつ面接を受けます。	1「AごとにB」の意味は次のとおり。 1）Aが時間の長さを表す場合： 「Aを*周期にB」という意味。 *周期：一定の時間で同じことがくり返される場合の、その時間 ○ 1カ月ごとに掃除当番が回ってくる。 2）Aが時間の長さ以外を表す場合： 「Aを一つの単位としてB」「それぞれのAでB」という意味。 ○ 一箱ごとにラベルを張る。 ○ 季節ごとにメニューが変わる。 ただし、Aが数字の場合、「Aが足されていくと、その区切りに応じてB」という意味になる。 ○ 500円ごとに1ポイントが付く。 ○ 10個ごとに1個サービスする。
2［Q］で🧑は「5つという数で区切って袋に入れる」と言っている→aは正しい。	2 Qでは、5つが足されていくわけではないので、bは使えない。

POINT 次のような場合は両方使える。

○ 一クラスずつ写真を撮るので、集まってください。
（＝1クラスで区切って写真を撮る）

○ クラスごとに写真を撮るので、集まってください。
（＝クラスという単位で写真を撮る）

例文

① 👤：この手帳、使いやすいんだよ。
　👤：へえ、ちょっと見せて。ふ～ん、曜日ごとに色が違うから、見やすいね。

② 👤：卒業の時、みんなで500円ずつ出し合って、先生に何かプレゼントしようよ。
　👤：いい考えだね。30人いるから15000円のものが買えるね。

③ 👤：これらの本は、どういうふうに本棚に入れればいいですか。
　👤：1冊ずつラベルを付けて、分野ごとに分けて入れてください。

練習

次の（　　）のa、bのうち、文の内容に合うほうを選びなさい。

❶ 👤：万国博覧会って、どういうもの？
　👤：国（a. ごとに　b. ずつ）展示施設があって、その国の産業とか文化とかがわかるんだよ。

❷ 山は危険ですから、必ずグループ（a. ごとに　b. ずつ）行動してください。それから、各グループで1人（a. ごとに　b. ずつ）リーダーを決めてください。

❸ 👤：この辺は、家（a. ごとに　b. ずつ）工夫を凝らした花壇があるわね。
　👤：ほんと、屋根の色もカラフルだし。1軒（a. ごとに　b. ずつ）ゆっくり見て回りたいくらいだよ。

❹ 👤：授業料の支払い方法を教えてください。
　👤：授業料は、半年（a. ごとに　b. ずつ）払う方法と、まとめて一回で払う方法があります。

(Qの答え：a)

57 AおきにB　AごとにB

Q 😀はa、bどちらで答えればいいですか。

👨：サッカーのワールドカップと冬のオリンピックって、毎回、同じ年なんだね。
😀：そうだよ。どちらも（a. 4年おきに　b. 4年ごとに）行われるからね。

📓 「Aおき（に）B」は「間にどれだけ置くか」で、「Aごと（に）B」は「どれだけを一つのまとまりにするか」で長さをとらえる。

Aおき（に）B	Aごと（に）B
1 「Aおき（に）B」は、「Bが繰り返される間隔」すなわち「BとBの間にどれだけの時間や距離、数量などを置くか」を表す表現。 ○ 3日おきに電話をかける。 ☎○○○☎○○○☎	1 「Aごと（に）B」は、「Aの数を区切りとしてBがくり返される」ことを表す表現。 ○ 3日ごとに電話をかける。 ○○☎○○☎○○☎
2 ［Q］ワールドカップやオリンピックは、4年の間を空けるのではなく、3年空けて4年目に行われる、ということ→aは間違い。 ※「おきに」を使うなら、「3年おきに」と言わなければならない。	2 ［Q］ワールドカップやオリンピックは、4年を一つの区切りに行われる→bが正解。 3 「AごとにB」には、ほかに「（複数ある）AのそれぞれでB」という意味もある。 ○ 店ごとにメニューが違う。 ○ 原稿用紙に書くときは、段落ごとに1字下げて書く。

POINT 日にちや数と違い、距離や時間など連続的なものの場合、同じ意味になる。

a. 6時間（おきに／ごとに）薬を飲みます。
　薬 ― 6時間 ― 薬 ― 6時間 ― 薬 ― 6時間 ― 薬 ― 6時間 ― 薬

b. 今回のマラソンコースには、3キロ（おきに／ごとに）給水所が設けてある。
　水 ― 3キロ ― 水 ― 3キロ ― 水 ― 3キロ ― 水 ― 3キロ ― 水

例文

① 👤：この国際会議をやっている間は警備が厳しいんだろうね。
　　👤：うん、会場前の道路には、3メートルおきぐらいに警官が立ってたよ。
② 👤：あの洋菓子店、人がたくさん並んでるね。
　　👤：季節ごとに新作を出すからね。その度に行列ができるんだよ。
③ 👤：マンション経営って、儲かるの？
　　👤：儲かるかどうか、わからないけど、ひと月ごとに安定した収入が入るのは魅力だと思う。

練習

次の（　　）のa、bのうち、文の内容に合うほうを選びなさい。

❶
👤：髪って、毎日洗う？
👤：夏はそうするけど、冬は1日おきだな。

問 👤は、12月1日に髪を洗ったあと、次にいつ洗うか。
　　a. 12月2日　　b. 12月3日

❷
👤：ねえ、見て！　小さい*石仏がたくさん並んでる。
👤：ほんとだ。5体ごとに赤い帽子をかぶせてあるけど、何か意味があるのかな？
　　*石仏：石でつくった仏像（仏の像）

問 👤と👤が見ている石仏はどっちですか。
　　a. ○○○○●○○○○●○○○○●○○○○●
　　b. ○○○○○●○○○○○●○○○○○●○○○○○●

❸
👤：先生、この貼り薬はいつ取り替えたらいいんでしょうか。
👤：そうですね……まだかなり腫れていますから、4時間ごとに交換してください。

問 6時に貼り薬を取り替えた👤が、次に取り替えるのは何時ですか。
　　a. 10時　　b. 11時

❹
👤：運転免許って、*更新しなければならないんですか。
👤：知らないんですか。日本ではふつう5年ごとにしなければならないんですよ。
　　*更新する：新しく改めること。

問 2015年10月10日が更新期限の人が、次に更新するのはいつまでですか。
　　a. 2019年10月10日　　b. 2020年10月10日

(Qの答え：b)

58 AたびにB　AごとにB

Q 👤はa、bどちらで答えればいいですか。

👤：ここは海岸沿いで景色がいいね。こんなところに住みたいな。
👤：でも、「台風の通り道」と言われていて、(a. 台風のたびに　b. 台風ごとに) 被害を受けて大変らしいよ。

どちらも「Aのとき、いつもB」という意味を持つ。「Aたび（に）B」は主観的な感情を含むが、「Aごと（に）B」は客観的に言う場合が多い。

Aたび（に）B	Aごと（に）B
1　「Aたび（に）B」は「Aという場合はいつもB」の意味。「同じことが同じように行われる」ときに使う。「いつもそうだ」と感心したりあきれたりする気持ちを含む。 ○ あの二人は会うたびにけんかをする。 2　[Q] 👤が言いたいのは「台風が来た場合はいつも被害を受ける」ということ→aが正しい。 3　接続は「名詞の＋たびに」「動詞辞書形＋たびに」の形。 ○ 彼は 休みの たびに登山に行く。 ○ 毎朝、この駅を 通る たびに思い出す。	1　「Aごと（に）B」は「Aという区切りにいつもB」の意味。規則性のある事柄に使う。 ○ 100円買い物をするごとに1ポイントつく。 2　[Q] 台風は「規則性のあるもの」ではない→bは間違い。 3　接続は「名詞＋ごとに」「動詞辞書形＋ごとに」。 ○ 彼女は 日曜 ごとに教会に行く。 ○ このタクシーは2キロ 走る ごとにメーターが上がる。 ○ 3カ月 ごとにバスの定期を買う。 4　「ごとに」には「それぞれを別々に」という意味もある。 ○ 集合写真はクラスごとに撮ります。

POINT 1　「AたびにB」「AごとにB」どちらにも、「Aをくり返すうちに、Bの程度がだんだん増していく」という意味の使い方がある。
○ あのチームは、試合をするたびに / ごとに強くなっている。

POINT 2 Aが「継続する変化」の場合は、「AたびにB」は使えない。
○ 祖母は、年をとるごとに物忘れがひどくなっている。
× 私は、年をとるたびに物忘れがひどくなっている。

POINT 3 「AごとにB」には、「一雨ごとに」「日ごとに」など、程度が増していくことを表す慣用的な使い方もある。

例文

① 🧑：A社の創立100周年パーティー、どうだった？
　 🧑：盛大だったよ。でも、会う人ごとに名刺を配らなきゃならなかったから、大変だったよ。

② 🧑：どうしたの？　何か考え事？
　 🧑：うん……この曲を聞くたびに昔の恋人のことを思い出すんだ。

③ 🧑：じゃ、健康診断は1年ごとに受けているんですね。
　 🧑：はい。そのたびにもうちょっとやせたほうがいいって言われます。

練習

次の（　）のa、bのうち、文の内容に合うほうを選びなさい。

❶ 🧑：先生、これ、お土産です。どうぞ召し上がってください。
　 🧑：帰国する（a. ごとに　b. たびに）お土産をもらって悪いね。ありがとう。

❷ 🧑：私、街をこうやって歩いて、ウィンドウショッピングするのが大好き。
　 🧑：うん。季節（a. ごとに　b. たびに）*飾りつけも変わって、見ているだけで楽しいよね。
　　　*飾りつけ：飾ること。また、飾ったもの。

❸ 🧑：この辺りは静かでいいね。引っ越してよかったよ。
　 🧑：ほんと。前の家は、車はうるさかったし、大きいトラックが通る（a. ごとに　b. たびに）揺れたしね。

❹ 今、さくら商店街では、1000円買い物をする（a. ごとに　b. たびに）1回分のくじ引き券がもらえます。

(Qの答え：a)

127

59 AにわたってB　Aをとおして(通して)B

Q ▲はa、bどちらを使えばいいですか。

▲：この市民スポーツ大会はどんな内容なんですか。
▲：はい。3日間（a. にわたって　b. をとおして）、サッカーやバレーボール、水泳など、約30の競技が行われる予定です。

どちらも「ある事柄をする期間」などを表すが、「AにわたってB」は「（Bが）その範囲におよぶこと」、「AをとおしてB」は「（Bが）その間ずっと続くこと」に重点を置く。

AにわたってB	Aをとおして（通して）B
1 「AにわたってB」は「BがAの範囲におよぶ」という意味。 ○「ワイン祭り」は、本館9階にて、本日より1週間にわたって開催いたします。	1 「AをとおしてB」は「Aの期間、ずっと続けてB」「Aについて同じようにB」という意味。
2 Aには「期間」だけではなく、「場所」や「地域」なども来る。 ▲：今回の台風は大きかったですね。 ▲：ええ、広い範囲にわたって被害が出ていますね。	2 Aには「一つのまとまりや全体」を表す言葉や"1年""1週間"といった区切りのある単位」が来る。 ○ この地方は一年を通して気候が温暖だから、住みやすい。 ○ 彼は、このシリーズの全作品を通して主役を演じた。
3 [Q] ▲は「スポーツ大会が3日間ある」ことを言いたい→aは正しい。	3 [Q] ▲は「スポーツ大会が3日間休みなく行われる」ことを言いたいのではない→bは間違い。
4 「継続している」という意味では「"中断"や"停止"の状態」にも使える。 ○ 台風の影響で、町は1時間にわたって停電した。	4 「何かが行われない状態」について使うことはあまりない。 × 台風の影響で、1時間を通して停電した。

例文

① 👤：温泉もよかったけど、料理もすごくおいしかったです。
　 👤：ありがとうございます。この辺りは一年を通していい食材に恵まれておりますので。
② 👤：それにしても、すごい量の資料ですね。
　 👤：ええ。5年にわたって調査をしてきましたから。
③ 👤：新しい美術館では、絵画や彫刻だけでなく、写真や映像など、さまざまな分野にわたって作品が展示されるそうです。
　 👤：そうなんですか。それは楽しみですね。

練習

次の（　　）のa、bのうち、文の内容に合うほうを選びなさい。

❶ 👤：隣の家とトラブルになっているんですか。
　 👤：そうなんですよ。弁護士にも入ってもらって、1年（a. にわたって　b. を通して）話し合ってきましたが、まだ解決していないんです。

❷ 👤：この辺で桜がきれいなところって、どこですか。
　 👤：じゃ、あさひ通りがいいですよ。街の中心から2キロ（a. にわたって　b. を通して）桜並木が続いているんです。

❸ 👤：A大学のロボットがコンクールに優勝したんですか。
　 👤：ええ。すべての項目（a. にわたって　b. を通して）最高点だったらしいです。

❹ 👤：老後をここで暮らす人が増えているんですね。
　 👤：ええ。ここは気候がすごくよくて、年間（a. にわたって　b. を通して）ほとんどエアコンが必要ないんです。物価も安いですし。

❺ 👤：このABC劇場の「外国映画祭」、どれも見たいんだけど、全部見に行くと結構な金額になるなあ。
　 👤：全部（a. にわたって　b. を通して）見られるチケットがあるんじゃない？　それなら安くなるはずだよ。

❻ 👤：一日中パソコンで作業をしているせいか、ときどき頭が痛くなるんです。
　 👤：そうですか。長時間（a. にわたって　b. を通して）同じ姿勢をとるのはよくないですよ。

(Qの答え：a)

60 AなしでB　AぬきでB

Q 学生（👤）が事務室の人（👤）に聞いています。👤の答えはa、bどちらが正しいですか。

　👤：パソコンルームでパソコンを使いたいんですが、予約が必要なんですか。
　👤：a. いえ、予約なしで利用できますよ。
　　　b. いえ、予約ぬきで利用できますよ。

📓 「AぬきでB」の場合は「（全体の中の一つ・一部である）Aが欠けている状態」を、「AなしでB」の場合は単純に「Aがない状態」を表す。

AなしでB	Aぬ（抜）きでB
1「AなしでB」は「Aがない状態でB」という意味で、「普通必要なもの、これまで必要だったもの」がない場合に使う。 ○ 健康診断なしで入れる保険です。 ○ 休憩なしで働かされた。 ○ ワサビなしで寿司は食べられない。	**1**「AぬきでB」は、「Aを除いた状態でB」という意味。「本来含まれているもの、含まれていることが多いもの」が除かれた場合に使う。 × 健康診断ぬきで入れる保険です。 × 休憩ぬきで働かされた。 ○ ワサビぬきで寿司は食べられない。
2［Q］予約なしで利用できますよ： 「（普通は必要な）予約がない状態でいい」ということ→aは正しい。	**2**［Q］予約ぬきで利用できますよ： 「予約」は「パソコンルーム」に含まれているものではない→bは間違い。
3「普通なら使うAを使わないでB」という意味もある。 ○ この薬は水なしで飲めます。	

> 例文

① 👤：駅前のレストラン、予約していったほうがいいかな。
　 👤：いつも空いているから、予約なしで行っても大丈夫だよ。
② 結婚式も無事終わりましたので、この二次会では、堅い挨拶はぬきで、楽しくやりたいと思います。
③ 👤：すみません、ダブルバーガーをピクルスぬきでお願いします。
　　それから、アイスコーヒーを氷なしで。

練習

次の（　　）のa、bのうち、文の内容に合うほうを選びなさい。

❶ 👤：携帯電話が使えたら便利だろうけど、わしのような年寄りには無理だよ。
　 👤：そんなことないよ。最近の携帯は、字も大きいし、面倒な操作（a. なしで　b. ぬきで）簡単にかけられるんだよ。

❷ 👤：日本語の新聞、読めるの？
　 👤：うん。でも、辞書（a. なしで　b. ぬきで）は無理だよ。

❸ 👤：ここ、クーラーが効いていて、いいね。
　 👤：うん、やっと生き返ったよ。やっぱり日本の夏はクーラー（a. なしで　b. ぬきで）は過ごせないよね。

❹ 👤：司会は原さんで決まりね。彼女、うまいし、こういうの好きだし。
　 👤：そうだけど、本人（a. なしで　b. ぬきで）決められないよ。予定だってあるだろうし。

❺ 👤：今日の授業、休講だって。掲示板に書いてある。
　 👤：えっ、あんな小さい字がめがね（a. なしで　b. ぬきで）見えるの？

❻ 👤：経済発展と環境保護をいかに両立させるか、だな。
　 👤：そうだね。今の経済は環境問題（a. なしで　b. ぬきで）語ることができないからね。

(Qの答え：a)

61 AでないとB　AだとB

Q この仕事を田中さんにしてほしいと思っているのは、👨ですか、👦ですか。

👨：この仕事は田中さんでないとだめでしょう。
👦：うーん、ぼくは田中さんだとだめだと思うなあ。

「AでないとB」と「AだとB」のBに「否定形」や否定的な内容の言葉が来る場合、この二つは反対の意味になる。

AでないとB	AだとB
1 「AでないとB」は、「A以外はだめ」「Aでなければ、うまくいかない」「Aが最も適している」という意味。「Aに代わるものがない」という評価を表す。Bには常に「失敗やよくない事態」など、否定的な内容が来る。	1 「AだとB」は、「AだったらB」「AならB」「Aの場合はB」などの意味を表す仮定の表現。Bには「いい・よくない」「可能・不可能」などの「判断」が来ることが多い。
2 ［Q］田中さんでないとだめ：「田中さん以外はだめだ」「田中さんが一番いい」という意味なので、👨が「田中さんにこの仕事をしてほしい」と思っていることがわかる。	2 ［Q］田中さんだとだめ：「田中さんはだめだ」という意味なので、👦が「この仕事は田中さんにしてほしくない」と思っていることがわかる。
3 「AでなければB」「AでなくちゃB」「AでなきゃB」「AじゃないとB」はすべて同じ意味。	

POINT　「AだとB」のBは、「〜ない」や否定的な言葉以外も使う。

(1) 👨：このりんご、5つでいくら？
　　👦：5つだと450円。

(2) 👨：明後日、会社のみんなと花見に行くんだけど、天気、大丈夫かなあ。
　　👦：そうなんだ。雨だとどうなるの？

例文

① 🧑：すき焼きって豚肉とか鶏肉とかを入れる地域もあるって知ってた？
　👤：そうなんだ。でも私は、やっぱり牛肉でないと……。

② 🧑：サイズはＳ・Ｍ・Ｌのどれになさいますか。
　👤：私はＬでなきゃ入らない。

③ 🧑：申込書と身分証明書……書類はこれでいいですか。
　👤：あ、身分証明書はコピーだとだめなんですが……。

練習

次の（　　）のa、bのうち、文の内容に合うほうを選びなさい。

① 🧑：会議は来週の月曜の１時からになりましたよ。
　👤：えっ、そうなの!?　月曜（a. でないと　b. だと）時間がとれないなあ。

② 🧑：ここ、汚れちゃったんだけど、水で洗えば落ちるよね。
　👤：いや、水だけ（a. でないと　b. だと）きれいには落ちないよ。洗剤を使ったほうがいい。

③ 🧑：明日のハイキング、この靴でもいいよね？
　👤：えっ、革靴で行くつもり!?　スニーカー（a. でないと　b. だと）疲れちゃうよ。

④ 🧑：先生、日本語能力試験のＮ１に合格するって、難しいんですか。
　👤：そうね。しっかり勉強した人（a. でないと　b. だと）合格できないと思いますよ。

⑤ 🧑：各駅（の電車）が来たけど、乗りますか。
　👤：いや、急行（a. でないと　b. だと）間に合わないと思う。

(Ｑの答え：🧑)

62 Aながら(も)B

Q 😀はa、bどちらで答えればいいですか。

👤：あの男の子、子供ながらも演技力があるね。
😀：a. 子供だからな。
　　b. 子供なのにな。

📓「AながらもB」は、「AだったらBではないのが普通なのに、Bだ」ということを表す。

Aながら（も）B

1 [Q]「子供なら演技力はないはずだけど、意外に演技力がある」という👤の評価に😀も*同調して、「子供＋逆接の[のに]」の形で答えを返している。

　*同調する：ほかの人と調子を合わせること。

2 「AながらもB」は、「結果としては良い」という文脈で使われることが多い。
　👤：息子さんの行ってらっしゃる塾、とても厳しいんですってね。
　😀：ええ。でも、厳しいながらも、生徒一人一人にすごく注意が行き届いていて、どの子も成績が上がるって評判なんですよ。

　👤：とうとう僕たちも家が買えたね。
　😀：苦労しながらも、少しずつお金を貯めてきたからね。

3 「考えていることと実際（の行動）が異なる」ときによく使う。
　👤：えっ、いつも1時半くらいに寝るの？　遅いね。
　😀：うーん、寝不足だとわかっていながらも、ついつい夜遅くまでテレビとかパソコンとかを見ちゃって……。

例文

① 🧑：彼女の歌はいいね。
　 🧑：うん、激しいながらも、女性らしい優しさを感じる。
② このデジカメは、コンパクトながらもいろいろな機能があって、とても便利です。
③ 🧑：新しい掃除機がほしいんだけど。
　 🧑：こちらはどうでしょう。小さいながらもとてもパワーがあって、細かいほこりも逃しません。
④ 彼は日本に10年も暮らしていながら、日本語を全く使わない生活をしている。

練習

1 文の内容に合うほうを選んで、（　）に○を書きなさい。

❶ このカメラは、小さいながらも ｛（　）とても軽い。／（　）高性能だ。｝

❷ うちの祖母は、高齢ながらも ｛（　）毎日プールで3キロ泳いでいる。／（　）腰が曲がってきた。｝

❸ 友達は、忙しいながらも ｛（　）時間をつくって会ってくれた。／（　）会議があって会えなかった。｝

❹ 彼女は、高級マンションに住みながらも ｛（　）服装はいつも地味だ。／（　）高級車に乗っている。｝

2 次の（　）のa、bのうち、文の内容に合うほうを選びなさい。

❶ (a. 狭い　b. 広い) ながらも、住み心地のいい家なんです。
❷ 彼は（a. 有名人　b. 普通の人）ながらも、威張ったところが少しもない。
❸ 毎日（a. 暑い　b. 暖かい）ながらも、ジョギングを続けています。
❹ 子供に（a. 悪い　b. いい）と思いながらも、その日は早く帰れませんでした。
❺ 少し（a. 不安を感じ　b. 納得し）ながらも、1カ月の船旅に申し込んだ。

(Qの答え：b)

63 ついA　思わずA

Q ▲が👤に講演会のことを言っています。👤はa、bどちらで答えればいいですか。

▲：どうだった？　昨日の講演会。
👤：すごくよかった。講演が終わると同時に、
　a. つい立ち上がって拍手しちゃった。
　b. 思わず立ち上がって拍手しちゃった。

どちらも「無意識の反応や行動」を表す。「ついA」は「避けていたこと」、「思わずA」は「そうするつもりのなかったこと」がAに来ることが多い。

ついA	思わずA
1 「ついA」は、「見たり聞いたりしたことなどに、無意識または習慣的に反応して、Aする」ことを表す。「不注意で、よくないことや避けていたことをしてしまったとき」によく使う。	1 「思わずA」は、「見たり聞いたりしたことなどに強い刺激を受け、無意識に反応して、Aする」ことを表す。習慣的なことには使わない。
2 「ついA」は、「悪かった、不注意だった」と後悔する気持ちを表すが、同時に「わざとやったのではない」と相手に伝える意味もある。 ▲：私がハワイに行くこと、ほかの人に言っちゃったの？ 👤：ごめん。旅行の話題になって、<u>つい</u>しゃべっちゃった	2 「そんなことをするつもりはなかったけど、あまりに〜だったので」という気持ちを表すことが多い。
3 [Q] いい講演を聴いて反射的に立ち上がることは、悪いことでも習慣的なことでもない→「ついA」は使えない。	3 [Q] いい講演に感動して、反射的に立ち上がった→「思わずA」は正しい。

例文

① 🧑：また、お菓子食べてるの？　さっきご飯食べたばかりじゃない。
　 🧑：そうなんだけど、目の前にあると、<u>つい</u>食べちゃうんだよ。

② 🧑：会議中、寝ていたでしょ。
　 🧑：ちょっとだけ。昨日、寝るのが遅かったから、<u>つい</u>……。

③ 🧑：昨日の会はどうだった？　田中先生、昔の恋人の話もしたんだって？
　 🧑：そうなんだよ。あまりにおもしろかったから、<u>思わず身を乗り出して</u>聞いたよ。

練習

次の（　　）のa、bのうち、文の内容に合うほうを選んでください。

❶ 結婚して2年になりますが、急に名前を聞かれると、（a. つい　b. 思わず）＊旧姓で言ってしまいます。

　＊旧姓：結婚する前の姓（名字）。

❷ 医者には酒は飲まないほうがいいと言われているんですが、目の前にお酒があると、（a. つい　b. 思わず）手が出てしまうんです。

❸ 同窓会では、20年ぶりに昔の友達に会えたのがうれしくて、会った瞬間、（a. つい　b. 思わず）抱きついてしまった。

❹ ふじ遊園地のジェットコースターに初めて乗った時は、（a. つい　b. 思わず）「助けて！」って叫んでしまった。

❺ この曲を聞いたら、昔のことがいろいろ思い出されて、（a. つい　b. 思わず）涙が出てきた。

（Qの答え：b）

64 わざわざA　せっかくA

Q 🧑に対して、👤はa、bどちらで励ましたらいいですか。

🧑：あ～あ、もう会社、やめようかな。毎日忙しくて疲れるよ。
👤：（a. わざわざ　b. せっかく）いい会社に就職できたのに、何言っているんだよ。頑張れよ。

どちらも「あえて面倒なことをする様子」を表す。「わざわざ」は「時間や手間がかかること」に、「せっかく」は「時間や手間が無駄にならないかどうか」に重点が置かれる。

わざわざA	せっかくA
1 「わざわざA」は、「本来なら必要がないのに／もっと簡単でいいのに、あえてAする」という意味。	1 「せっかくA」は、「苦労して／無理をして、貴重な時間やお金を使ってAする」という意味。「せっかくAのにB」「せっかくAだからB」「せっかくのA」という3つの形がよく使われる。
2 （ⅰ）自分の行為の場合は「苦労した、面倒だ、嫌だ」という気持ち、（ⅱ）他人の行為の場合は「感心する、あきれる」という気持ち、（ⅲ）他人が自分のために何かしてくれた場合は「感謝」の気持ち、を表す。 (ⅰ)わざわざそこまで行くのは疲れる。 (ⅱ)どうしてわざわざ届けに行ったの？ (ⅲ)私のためにわざわざ来てくれたの？ありがとう。	2 （ⅰ）「せっかくAのにB」は「残念だ、もったいない」という気持ち、（ⅱ）「せっかくAだからB」は「(貴重な機会・物)を大切にしよう」という気持ち、（ⅲ）「せっかくのA（名詞）」は「貴重なA」、という意味を表す。 ※「わざわざ」には（ⅲ）の形はない。 (ⅰ)せっかく来たのに、もう帰るの？ (ⅱ)せっかく来たんだから、もうちょっといれば？ (ⅲ)せっかくの連休だから、どこかに行こう。
3 ［Q］「わざわざ就職した」というと、「しなくてもいいのに就職した」という意味になり、不自然。	3 ［Q］「いい会社に就職できたのに、やめるのはもったいない。頑張れ」という励まし。「せっかくAのにB」の形。

例文

① 👤：これ、先日読みたいって、おっしゃっていた本です。
　👤：重いのに<u>わざわざ</u>持ってきてくださったんですか。すみません。

② 👤：あれ？ 今日は来ないと思っていたのに、どうして来たの？
　👤：何言ってるんだよ！ 来てくれって言うから、<u>わざわざ</u>来たんじゃないか。

③ 👤：試験の日、<u>せっかく</u>電話で起こしてくれたのに、また寝ちゃって……。それでちょっと遅れたんだ。
　👤：え〜！ <u>わざわざ</u>電話してあげたのに。もう知らない!!

練習

次の（　　）のa、bのうち、文の内容に合うほうを選びなさい。

❶（a. わざわざ　b. せっかく）頑張って宿題をしていったのに、先生が休みだった。

❷あの人は近所のスーパーでは買わないで、（a. わざわざ　b. せっかく）遠くの店まで買いに行くらしい。

❸昨日の雨で（a. わざわざ　b. せっかく）の桜がだいぶ散ってしまった。

❹迎えに来なくていいって言ったのに、父が（a. わざわざ　b. せっかく）駅まで迎えに来てくれた。

❺（a. わざわざ　b. せっかく）冷えているジュースを、（a. わざわざ　b. せっかく）温めて飲むの？ 変なの。

❻うちの息子は、新しいジーンズを買ったのに、（a. わざわざ　b. せっかく）膝のところを少し破ってはいている。

❼スピーチが長すぎて、（a. わざわざ　b. せっかく）の料理が冷めてしまいそうだ。

❽あのおばあさん、（a. わざわざ　b. せっかく）私が席を譲ってあげたのに、座ろうとしなかった。

(Qの答え：b)

65 何となくA　何気なくA

Q 心配している人に、人はa、bどちらで答えればいいですか。

　人：どうしたんですか。顔が青いですよ。
　人：a. 何となく気分が悪いんです。
　　　b. 何気なく気分が悪いんです。

「何となく」の主な特徴は「そうする理由や原因が特にないこと」、「何気なく」の主な特徴は「そうする意図がないこと」や「その気配や雰囲気がないこと」。

何となくA	何気なくA
1 「何となくA」は、「特に理由はないがA」「漠然とA」という意味。 ○ 今日は何となく外に出かけたくない。 2 [Q] 何となく、気分が悪い： 「どうして気分が悪いのか、わからないけど、とにかく気分が悪い」という意味。	1 「何気なくA」は、「特に意図や考えはなくA」「特に何というつもりもなくA」「特に意識もせずA」という意味。 2 「何気なく」の「気」には、「気持ちや考え」のほか、「気配や雰囲気」などの意味も含まれる。 ○ 母は何気なく振舞っていたけど、本当は泣きたかったんだと思う。 2 [Q] × 何気なく、気分が悪い： 「何気なくA」のAは「状態」ではなく「Aする」ことなので、間違った表現。

POINT　「何となくA」と「何気なくA」は、「Aしようと思ってAするのではなく、無意識にAする」という意味では、言い換えができる。
　○ 何となく言った言葉が、人を傷つけることがある。
　○ 何気なく言った言葉が、人を傷つけることがある。

例文

① 👤：何を笑っているの？ それ、外国の番組でしょ？ 言葉、わかるの？
　👤：言葉はわからないけど、何となくおかしくって……。

② 👤：そんなに彼女のことが気になるなら、勇気を出してデートに誘ったら？
　👤：それだとすぐに断られそうで……。できれば、何気なく食事に誘いたいんだよ。

③ 👤：昨日、何となく（何気なく）テレビを見ていたら、田中さんが出ていて、びっくりしたよ。
　👤：へ〜、いつ？ 何ていう番組？

練習

次の（　　）のa、bのうち、文の内容に合うほうを選びなさい。

❶ 👤：何を泣いているの？
　👤：（a. 何となく悲しくて……。
　　　 b. 何気なく悲しくて……。）

❷ 👤：この問題の正解は①だけど、わかります？
　👤：（a. はい……何となく……。
　　　 b. はい……何気なく……。）

❸ 👤：最近、ウォーキングを始めたんだって？
　👤：うん、やっぱり歩くのっていいよ。普段（a. 何となく　b. 何気なく）通っている場所にも、いろいろな発見があったりして。

❹ 👤：なんで赤にしたの？
　👤：特に理由はないけど（a. 何となく　b. 何気なく）。

❺ 👤：その後、腰の調子はどうですか。
　👤：はい、だいぶよくなりましたけど、まだ（a. 何となく　b. 何気なく）痛いような感じがします。

(Qの答え：a)

66 さすがにA（さすが）　なるほどA（なるほど）

Q 👤と👤が、課長について話をしています。👤はa、bどちらで答えればいいですか。

👤：今朝、社長が急に質問した時の課長の顔、見た？
👤：見た、見た。いつもクールな課長も、（a. さすがに　b. なるほど）あわててたね。

📓「さすがにA」と「なるほどA」は、ほかからの情報や自分の考えが実際に確認されたときに使う表現ですが、どのように使い分けているのでしょうか。

さすがにA（さすが）	なるほどA（なるほど）
1「さすがにA」は、「実際の結果や状況に対し、（当然のことだと）納得したり感心したりする気持ち」を表す。 ○ 彼は昔、アメリカに住んでいたからね。さすがに英語が上手だよ。	1「なるほどA」は、「実際の結果や状況に対し、（やはり聞いたとおりだったと）納得したり理解したりする気持ち」を表す。 ○ 彼は昔、アメリカに住んでいたからね。なるほど英語が上手だよ。
2 いつもと全く異なる場合（「いつもはAの～も、今回はB」など）についても、使われることが多い。 ○ 問題が易しかったのか、いつも0点の彼も、さすがにできたらしい。	2 こういう結果になるのも当然だと思う場合には使わない。 × 問題が易しかったのか、いつも0点の彼も、なるほどできたらしい。
3［Q］👤は「普段見られない課長の様子」に驚いている→aは正しい。	3［Q］👤は「課長が急な質問にあわててる」と思っていたのではない→「やっぱり」という意味のbは間違い。
4 よく使われる形に「～だけあって、さすがに……」がある。 ○ 彼は運動をしているだけあって、さすがによく食べる。 ○ 女性だけあって、さすがに服をたくさん持っている。	4「なるほど」には、理解を示す相づちとしての使い方もある。 👤：毎日すごく忙しいから、どうしても家事が手抜きになっちゃうんです。 👤：なるほど。

POINT ニュアンスは違うが、両方使える場合もある。

👤：これは神戸牛のステーキです。どうぞ。
👤：わ〜、さすがにうまいな。〔予想どおり〕
　　わ〜、なるほどうまいな。〔評判どおり〕

例文

① 👤：青木さん、飼ってた猫が死んだんだって。かわいそうに。
　 👤：子供の時から飼ってたんだって。さすがにショックだったみたいで、今日も学校来てない。

② 👤：日本の漫画が好きで、日本語の勉強を始めたんですよね。
　 👤：はい。だから、日本に来て、すぐに秋葉原の専門店に行きました。知らない作品が山のようにあって、なるほど、世界一の漫画大国だと思いました。

③ 👤：今日は寒いね〜。いつも薄着の👤さんも、さすがにコートを着てきたんだね。
　 👤：ええ。今日はさすがにコートがないと無理です。

練習

次の（　　）のa、bのうち、文の内容に合うほうを選びなさい。

❶ 👤：どう、この財布？　イタリアで買ったの。
　 👤：(a. さすが　b. なるほど) イタリア製って感じ。明るくておしゃれ。

❷ 👤：いろいろ考えて、結局、大学は全部で4校受験することにしました。
　 👤：(a. さすが　b. なるほど)。で、どこを受けるんですか。

❸ 👤：原さんのお兄さん、見た？
　 👤：うん。(a. さすが　b. なるほど) 美人の原さんのお兄さんって感じで、ハンサムだった。

❹ 👤：お店、どうだった？
　 👤：三ツ星取ったお店だけあって (a. さすが　b. さすがに) おいしかったよ。

❺ 👤：さすが元サッカー選手。見事なゴールでしたね。
　 👤：いやいや。体力だけは自信があったんですが、(a. さすが　b. なるほど) の私も、もうこの年ですから、最後のほうはふらふらでしたよ。

(Qの答え：a)

67 そこそこ　ほどほど　まあまあ

Q ホームパーティーをしているときに、👤がみんなに注意しました。a〜cのうち、どれが正しいですか。

👤：ねえねえ、騒ぐのも（a.そこそこ　b.ほどほど　c.まあまあ）にしないと、周りから苦情を言われるよ。

「そこそこ」「ほどほど」「まあまあ」は、「評価に関する程度」を表す表現。それぞれの間で共通する点、異なる点を整理しよう。

	「そこそこ」「ほどほど」「まあまあ」
そこそこ	1）少ないが、一応満足できる程度。ある程度評価できる様子。 ○ 学校の勉強は、一番にならなくても、<u>そこそこ</u>できればいいよ。 2）その数に達するか達しないかという程度。 ○ あの店なら、1000円<u>そこそこ</u>でおいしいものが食べられるよ。 3）急いで簡単に済ませる様子。 ○ 宿題も<u>そこそこ</u>に、遊びに出かけた。
ほどほど	多過ぎず、少な過ぎず、ちょうどいい程度。 ○ 酒は良薬というが、<u>ほどほど</u>がいい。
まあまあ	多少の不満はあるが、一応納得できる程度。悪くない。 ○ この店の料理は<u>まあまあ</u>だけど、今日はほかの店にしよう。

1 [Q]「そこそこ」と「まあまあ」は、「一応満足できるくらいに騒いで」などの意味になってしまい、不適当。また、「まあまあにする」という言い方もない。👤が言いたいのは「騒ぐとしても、限度を超えないように、常識の範囲内で」ということなので、「ほどほど」が適当。

2 会話では、*婉曲的な気持ちが加わり、あいまいな表現になることがある。

*婉曲的：はっきり言わず、遠回しに表現したりすること。

👤：最近、仕事、儲かっていますか。
👤：<u>そこそこ</u>ですね。〔十分ではないが、ある程度満足〕
　　まあ、<u>ほどほど</u>に。〔多くはないが、適当に〕
　　<u>まあまあ</u>ですね。〔不満はあるが、悪くはない〕

例文

① :田中さんって、英語、話せるんだっけ?
  :うん、そこそこの実力はあると思うよ。
② :私、やせたと思わない? ダイエット、頑張っているんだ。
  :でも、やりすぎは体によくないよ。ほどほどにしないと。
③ :仕事どう? 最近。
  :うーん、まあまあかな。もうちょっと景気がよくなると、もっといいんだけど。

練習

次の( )のa、bのうち、文の内容に合うほうを選びなさい。

❶ :田中さん、また赤ちゃん、できたんだって?
  :え〜!! 二十歳(a. そこそこ b. まあまあ)で2人の子供のお母さんなんて、すごいね。

❷ :今年、入社した新人、どう?
  :(a. そこそこ b. ほどほど)の戦力になってきたよ。まだまだ勉強が必要だけどね。

❸ :あの女優、どう思う?
  :スタイルもいいし、演技力も(a. ほどほど b. まあまあ)だね。

❹ :冗談も(a. ほどほど b. まあまあ)にしないと……。彼女、怒っていたよ。
  :えっ、ホント? (a. そこそこ b. ほどほど)喜んでいると思っていたのに…。

❺ :あれ? 田中さん、もう帰っちゃったの?
  :うん。電話を切ったら、挨拶も(a. そこそこ b. まあまあ)に急いで帰っちゃったよ。

❻ :論文の締め切り、来月まででしょ? 書けてるの?
  :無理無理。資料集めに時間がかかっちゃって……。あと1カ月(a. そこそこ b. ほどほど)しかないから、今年は見送るよ。

❼ :このお菓子、知ってる? 新製品なんだって、食べてみて。
  :(a. ほどほど b. まあまあ)に塩味がきいていて、おいしいね。

(Qの答え:b)

68 めったにAない ほとんどAない

Q テストについて、👤が👤に話しています。a、bどちらの言い方が正しいですか。

👤：今日のテスト、どうだった？ できた？
👤：まさか……。（a. めったにできなかったよ。）
　　　　　　　　（b. ほとんどできなかったよ。）

「めったにAない」は*頻度に関する表現だが、「ほとんどAない」は、回数（頻度）のほか、量や程度についても言う。

*頻度：どれだけ多くくり返されるか、ということ。

めったにAない	ほとんどAない
1 「めったにAない」は、「何回かある中で、Aをする回数がとても少ない」という意味。	1 「ほとんどAない」は、「全体の中でAない割合が多い」という意味。回数のほか、量や程度についても言う。
2 ［Q］👤は「今日のテストはできなかった」ということを言っている。テストに関する一般的なこと（下の例）ではなく、「今日の一回のテスト」のことなので、aは間違い。 ○ 100点なんか、めったにとれない。	2 ［Q］👤は「今日のテストについて、（その全体の中で）できなかった割合が多い」ということを言っているので、「ほとんどAない」は正しい。

POINT 「ほとんどAない」が使える文がすべて「めったにAない」で置き換えられるわけではない。

○ めったに出かけません。（⇒出かける回数が少ない）
○ ほとんど出かけません。（⇒出かけない割合が多い）

○ 昨日のテストはほとんどできなかった。（⇒できなかった割合が多かった）
× 昨日のテストはめったにできなかった。（⇒できなかった回数が多かった）

例文

①今朝はあわてて家を出たから、朝ごはん、ほとんど食べられなかった。
②👤：どう、今の人の英語、わかった？
　👤：いやー、すごい早口だったから、ほとんどわからなかったよ。
③うちの部長はめったに（ほとんど）怒らないけど、怒ったときはすごく怖いです。
④パソコンを相手にする仕事なので、出張なんかはめったに（ほとんど）ありません。

練習

次の（　）のa、bのうち、文の内容に合うほうを選びなさい。

❶👤：本を読んで、泣くことってある？
　👤：うーん、（a. ほとんど　b. めったに）泣いたりしないなあ。

❷👤：どうしたの？　眠そうね。
　👤：うん、今朝の4時ごろまでレポートを書いていて（a. ほとんど　b. めったに）寝てないんだ。

❸👤：このケースはすごく丈夫ですから（a. ほとんど　b. めったに）割れることはありません。

❹👤：昨日の試合、見た？　日本、負けちゃったね。
　👤：相手が強すぎるよ。チャンスらしいチャンスが（a. ほとんど　b. めったに）なかったからね。

（Qの答え：b）

69 （まだ）Ａない　（まだ）Ａていない

Q 👤は宿題をしたいけど、できないようです。👤の質問に、👤はａ、ｂどちらで答えればいいですか。

　👤：宿題はもうしましたか。
　👤：a. いいえ、忙しくて、まだしません。
　　　b. いいえ、忙しくて、まだしていません。

📔 「もうＡ？」は相手が「Ａする意志がある」という前提で聞くときに使うと、「既にＡ？」という意味。「まだＡ」は「今でもＡが終わっていない」という意味。

まだＡない	まだＡていない
1 「まだＡない」は、「今現在、Ａする意志がない」という意味で、「Ａする意志がない」「事情があってＡできない」というときに使う。 👤：そろそろお昼ご飯にする？ 👤：私はまだ食べない。１時に友達と食事の約束をしてるから。	1 「まだＡていない」は、「今現在、Ａしていない状態」という意味で、「Ａする意志はあるが、Ａが終わっていない状態だ」というときに使う。 👤：もう昼ごはん食べた？ 👤：ううん、私はまだ食べていない。今、手が離せなくて。
2 [Q]「忙しくて、しません」は「忙しいから、宿題をする意志がない」という意味。👤に宿題をする意志があるなら、不適当。	2 [Q]「忙しくて、していません」は「忙しいから、したくてもできない状態だ」という意味。👤に宿題をする意志があるなら、内容的に合う。

POINT　「もうＡ？」に対する否定の答えは、（1）意志を伝える「Ａない」、（2）現在の状況を説明する「Ａていない」の２通り。

例文

① :会議の結果は、もう社長に報告したの?
　:いいえ、まだしていません。

② :この本、もう捨てるの?
　:まだ捨てない。置いといて。

③ :ねえ、もうこの映画、見た?
　:ううん、つまらないって聞いたから、私は見ない。

練習

次の（　　）のa、bのうち、文の内容に合うほうを選びなさい。

❶ :もう薬飲んだの?
　:あ、忘れてた！（a. 飲まない　b. 飲んでない）よ。

❷ :もう、ごはん作った?　今日、急に飲みに行くことになって……。
　:まだ（a. 作らない　b. 作っていない）よ。行ってらっしゃい。

❸ :あの服、買ったの?
　:いや、まだ（a. 買わない　b. 買っていない）。買いに行く時間がなくて……。

❹ :この掃除機、使ってもいい?　次、使いたいんだけど。
　:私はまだ（a. 使わない　b. 使っていない）から、どうぞ。

❺ :頼んでおいたレストランの予約、もうしてくれた?
　:ごめん、まだ（a. しない　b. していない）。電話番号のメモ、なくしちゃって。

❻ :もう洗濯しちゃった?　もう1枚洗ってほしいんだけど。
　:まだ（a. しない　b. していない）から、大丈夫よ。

(Qの答え：b)

70 Aほど　Aばかり

Q 🧑 は a、b どちらを使えばいいですか。

👤：先生、今年の新型インフルエンザは高熱が出ると聞いていますが、どれくらい出るんですか。
🧑：人によりますが、（a. 40度ほど　b. 40度ばかり）出ることもあります。

📓 数字と一緒に使う「Aほど」と「Aばかり」は、どちらも大体の数や量を表す。非常に似ているが、話し手の気持ちや感覚で若干の違いがある。

Aほど	Aばかり
1 「Aほど」は「だいたいA、約A」という意味。「少ない」という印象はない。 ○ すみません、3日ほど休みをいただきたいのですが。	1 「Aばかり」は、（ⅰ）「比較的少ない、そんなに多くないが」、（ⅱ）「ちょうどそれくらい」のように思っているときに使うことが多い。 （ⅰ）ごめん、10分ばかり待ってくれない？ （ⅱ）人が足りないから、二人ばかり呼んできてくれる？ （ⅱ）建設費用として1億円ばかり必要だそうだ。
2 ［Q］🧑は「40度程度の熱だ」ということが言いたい→aは正しい。	2 ［Q］体温の"40度"は低い数字ではない→bは間違い。 3 「少し、わずか、ちょっと」など、少ない意味を表す副詞と一緒に使って、少なさの程度を強調することができる。 ○ 知らせを受けて、彼はわずかばかりのお金を持って、すぐに出かけた。

POINT 「1000円ほど貸してくれない？」「30分ばかり手伝ってくれない？」など、誰かに負担をかける場面で使うと、「負担は小さいから」「大したことではないから」という話し手の気持ちを含んだ表現になる。

- :今日、財布を忘れちゃって……。1000円ほど貸してくれない？
- :いいけど、1000円で足りるの？

例文

① - :健康診断、どうだった？
  - :血圧の数値が少しばかり良くなっていて、安心したよ。
② - :英語がお上手ですね。
  - :いえいえ、2年ばかりイギリスに住んでいただけですので。
③ - :あの方をご存じなのですか。
  - :ええ、3回ほどお会いしたことがあります。

練習

次の（　　）のa、bのうち、文の内容に合うほうを選びなさい。両方合う場合は両方選びなさい。

❶ - :あそこに見えるのがスカイツリー？　高いね〜。
  - :高さが630m（a. ほど　b. ばかり）あって、世界で一、二を争うくらいなんだって。

❷ - :あの先生の話、僕たちにはちょっと（a. ほど　b. ばかり）難しすぎるね。
  - :ほんと。しっかり予習してこないと、頭に入らないよ。

❸ - :そのじゃがいも、ひと盛りください。
  - :毎度ありがとうございます。（a. 2個ほど　b. 1個のばかり）おまけしておきますね。

❹ - :1時間前に電話して注文したんですけど、まだですか。
  - :すみません。いま出ましたから5分（a. ほど　b. ばかり）お待ちください。

(Qの答え：a)

71 Aぶり　Aめ（目）

Q 🧍はa、bどちらを使って言えばいいですか。

👤：こうしてまた会えるなんて、夢みたい。
🧍：ほんと、懐かしいよね。(a. 7年ぶり　b. 7年め) かな。

「Aぶり」も「Aめ」も、期間を表す数字と一緒に使う。

Aぶり	Aめ（目）
1 「Aぶり」は、「Aの間、中断されていたことが再び行われたりすること」を表す表現。 👤：やっと雨が降ったね。 🧍：うん。ほとんど3カ月ぶりだね。	1 「Aめ」は、「ある基準から数えてどれだけあるか」を表す表現。「続いているもの」に対して使う。 ○ 端から3軒目が私の家です。 ○ 就職して2年目に結婚した。
2 Aには主に「期間」や「長めの時間」を表す言葉が来る。時間が短い場合には、「～後」を使うことが多い。 ○ 中断していた試合は、10分後に再開された。	2 「日」より小さい時間には使わない。 ○ 3年目、3カ月目、3週目、3日目 × 3時間目、3分目、3秒目 × 仕事を始めて2時間目に休憩がある。 ※ 授業などを表す「時間」には使える。 ○ 明日の2時間目は国語です。
3 [Q] 会話の内容は「中断（👤と🧍が会っていない期間）が7年ある」というもの→aは正しい。	3 [Q] 🧍が「7年め」と言うと、「7年間、会い続けている」ことになり、おかしい。
4 「普段の状態が中断されたあと、再び本来の状態に戻る」という意味の使い方もある。 ○ あの人、山で遭難したけど、今朝、10日ぶりに助けられたんだって。	4 「ちょうどA（Aは継続した期間）に至る」という意味でも使う。 ○ 結婚7年目にやっと授かった子供ですから、可愛くて……。
5 「久しぶり（=*久しい+ぶり）」は一語としてよく使われる。 *久しい：時が長くたっていること。 ○ ここに来るのは久しぶりです。	

例文

① 👤：銀行はどこですか。
　 👤：ここをまっすぐ行って、2つ目の信号の手前にありますよ。

② 👤：おめでとうございます。あなたがここを訪れた、ちょうど100万人目の方です。
　 👤：えっ、そうなんですか！　ありがとうございます。びっくりしました。

③ 👤：このチーム、ずっと*最下位だったんでしょ。
　 👤：うん。でも、今年25年ぶりの優勝だって。

　　*最下位：全体の中で成績が一番下であること。

練習

次の（　　）のa、bのうち、文の内容に合うほうを選びなさい。

① 👤：久しぶりに実家に帰ったら、町の雰囲気が変わっていて、びっくりしたよ。
　 👤：そうなんだ。何年（a. ぶり　b. 目）に帰ったの？

② 👤：彼らは結婚して3カ月（a. ぶり　b. 目）に離婚したらしいよ。
　 👤：へー、早いね。

③ 👤：二人はいつから付き合うようになったんですか。
　 👤：知りあって2年（a. ぶり　b. 目）です。大学2年の夏からです。

④ 👤：新しい学校で友達、できた？
　 👤：うん。入学して3日（a. ぶり　b. 目）に隣の席になった人と。すごくいい人よ。

⑤ 👤：昨日、電車の中で夜を明かしたんだって？
　 👤：そうなんだよ。台風の影響で駅に止まったままになって。8時間（a. ぶり　b. め）に動き出したときには、みんなで拍手したよ。

⑥ 👤：風邪はもう治ったの？
　 👤：うん、もう大丈夫。5日（a. ぶり　b. め）にお風呂にも入れて、気持ちよかったよ。

(Qの答え：a)

72

Aみ　Aさ

Q 👤と👤が話しています。👤の答えは、a、bどちらが正しいですか。

👤：田中さんって、奥さんに*頭が上がらないみたいだね。
👤：うん、何か（a.弱さ　b.弱み）でも握られているのかな。

＊頭が上がらない：相手に対して強く言えない事情があり、弱い立場であること。

どちらも形容詞のあとに付いて名詞に変える表現。「Aみ」は「"Aと感じさせるもの"の有無」に、「Aさ」は「Aの内容」に重点を置く。

Aみ	Aさ
1 「Aみ」の「み」は「味」とも書き、「Aと感じさせるもの」という意味。「それがあるかないか」が問題になることが多い。 ○ 彼の話はいつも面白みに欠ける。 ○ あの歌手には親しみを感じる。 また、「Aのところ・部分」を表す。 ○ 川の深みに足をとられないよう、気をつけてください。 2 [Q] 👤は「田中さんは、自分の弱い部分を奥さんに知られているんじゃないか」と推測している→bは正しい。 3 「Aみ」は、「～がある／ない」の形をとることが多い。 ○ 彼女の絵には温かみがある／ない。	1 「Aさ」は、「Aの程度」「どのくらいAか」を表す表現。「その内容（大 小や程度など）」が問題になることが多い。 ○ 広さは東京ドームの5倍です。 ○ 今週は暑さがピークになるようだ。 2 [Q] 👤の発言内容に「どれくらい弱いか」ということは関係ない→aは不適当。

POINT　「Aみ」は「Aさ」と違い、すべての形容詞に使えるわけではない。

【「Aみ」が使える例】

重み／深み／丸み／温かみ／強み／甘味／辛味／旨味／痛み／かゆみ／赤み／青み／厚み／楽しみ／悲しみ／苦しみ／憎しみ／親しみ／面白味／新鮮味／真剣味

【「Ａみ」が使えない例】

×	長み なが	若み わか	安み やす	怖み こわ	難み むずか	悔み くや	美み うつく	便利み べんり	にぎやかみ
○	長さ なが	若さ わか	安さ やす	怖さ こわ	難しさ むずか	悔しさ くや	美しさ うつく	便利さ べんり	にぎやかさ

例文

① 👤：このテーブルはどう？
　👤：私はそういう四角いやつより、こういう丸みのあるデザインのほうがいいな。

② 👤：では、ちょっと押してみますから、痛みを感じたら言ってください。
　👤：わかりました。あ、そこ、痛いです。

③ 👤：あのホテル、狭かったでしょう。
　👤：きれいで設備の整ったホテルだったので、狭さはそんなに気になりませんでした。

練習

次の（　　）のａ、ｂのうち、文の内容に合うほうを選びなさい。

❶ *葬儀会場は深い（a. 悲しさ　b. 悲しみ）に包まれていた。
　*葬儀：人が亡くなったときに行う式。

❷ この川は流れも穏やかで、（a. 深さ　b. 深み）も１メートルぐらいなので、カヌーをするのにぴったりです。

❸ いなかの友達が送ってくれた柿は、ちょっと（a. 渋さ　b. 渋み）があった。

❹ （a. 重さ　b. 重み）が２キロを超えるものには、追加料金がかかります。

❺ 彼は、顔は怖いけど、話してみると（a. おもしろさ　b. おもしろみ）があって、なかなかいい人だ。

❻ 合格を知った時の（a. うれしさ　b. うれしみ）といったら、それはもう、言葉にならないものでした。

❼ 飼い犬のクロが死んだ時、父は「天国には（a. 苦しさ　b. 苦しみ）なんか、ないんだよ」と言って、私をなぐさめてくれたんです。

❽ この携帯電話の（a. 便利さ　b. 便利み）は、実際に使ってみないとわからないだろう。

(Ｑの答え：b)

73 なんでもない なんともない

Q 👤が誰かに怒鳴っています。心配して👤が話しかけました。👤はa、bどちらで答えればいいですか。

👤：どうしたの？ 何、怒っているの？
👤：ううん、(a. なんでもないよ。 b. なんともないよ。) 気にしないで。

どちらも会話でよく使われる。それぞれの中心的な意味は、「なんでもない」が「問題がない」こと、「なんともない」が「ダメージがない」こと。

なん（何）でもない	なん（何）ともない
1 「なんでもない」は「（程度）大したことはない」「特に問題はない、特に取り上げるほどのことではない」という意味。 ○ 英語は得意だから、こんな仕事は何でもないよ。	1 「なんともない」は「大丈夫だ、平気だ、問題ない」「どこにも（物理的または肉体的）ダメージはない」という意味。 ○ 風邪は治りました。もう何ともないです。
2 [Q] 👤は「大した問題ではないから心配しないで」と言っている→aは正しい。	2 [Q] 👤はただ、言い合いをしているだけなので、bは間違い。

POINT 1 2つの表現が同じように使えるときもあるが、ニュアンスが違う。

👤：どうして食べないの？ おなか痛いの？
👤：a. 何でもないから気にしないで。先に食べて。
　　　（＝特に問題ないから気にしないで）
　　b. 何ともないから気にしないで。先に食べて。
　　　（＝大丈夫だから気にしないで）

POINT 2 「なんともない」に似た形で「なんとも＋動詞-ない形」がある。主には「何も〜ない」「平気だ、大丈夫だ」という意味だが、「動詞-可能形」などに付く場合は「どんな方法でも〜ない」「どのようにも〜ない」という意味になる。

○ 昨日のことは、一言ではなんとも説明できない。

例文

① 👤：弱ったな。今度の会議、英語でプレゼンしなきゃならないんだ。英語ができる👤さんなら、何でもないだろうけど、ぼくには荷が重いよ。
　👤：でも👤さん、話が上手だから、大丈夫だよ。

② 👤：昨日も遅くまで残業だったんでしょ。疲れてるんじゃないの？　運転、代わろうか？
　👤：いやー、これくらい何ともないよ。昨日もすぐ寝たし、大丈夫だよ。

③ 👤：月下美人って花知ってる？　一晩だけ真夜中に咲くんだけど、咲くときに何とも言いようがない、いい匂いがするらしいんだ。
　👤：へえ〜、名前からしてロマンチックな感じの花だね。

練習

次の（　　）のa、bのうち、文の内容に合うほうを選びなさい。

❶ 👤：どうしたの。不機嫌そうだね。
　👤：聞いてくれる？　駅前の歯医者で（a. なんでもない　b. なんともない）虫歯の治療に5万円もとられたのよ。

❷ 👤：何かあったんですか？　あんなに人が集まってる。
　👤：私も事故かと思って見に来たんだけど（a. なんでもない　b. なんともない）らしいよ。

❸ 👤：ブレーキがあまり効いていないように思うんですが、見ていただけますか。
　👤：ええ、どれどれ。……ブレーキは（a. なんでもない　b. なんともない）ようですよ。ちょっとほかも点検してみましょう。

❹ 👤：田中さんには遅刻をするなって、厳しく言っておいたからね。
　👤：でもあの人、（a. なんでも　b. なんとも）感じてないみたい。今日も遅刻してきたし。

❺ 👤：あれ？　もう熱下がったの？　寝てたほうがいいのに……。
　👤：ありがとう。でも、もう（a. なんでもない　b. なんともない）から。仕事もたまってるし、いつまでも寝てられないよ。

❻ 👤：どんなとき、幸せだと感じる？
　👤：そうだなあ……（a. なんでもない　b. なんともない）毎日の生活の中で、ふとそう感じるときがある。

（Qの答え：a）

74 申す　申し上げる

Q 👤は👤の家に電話をしました。a、bどちらが正しいですか。

👤：もしもし、わたくし、
　a. 👤と申しますが、👤さん、いらっしゃいますか。
　b. 👤と申し上げますが、👤さん、いらっしゃいますか。

📓 どちらも*謙遜の表現だが、話す相手や内容によって使い方が異なる。
*謙遜：尊敬の気持ちを表すため、相手に対して、自分を低く扱うこと。

申す	申し上げる
1 「申す」は「言う」の謙遜の表現。敬意を表す相手に対して、話し手や話し手のグループの人が「言う、発言する」という意味で使う。	1 「申し上げる」は「言う・述べる・報告する」の謙遜の表現。目上に対して話し手が「意見を言う・報告する」ときに使う。
2 ［Q］👤は「👤といいます」という意味で自分の名前を言っている→aの「申します」が正しい。	2 ［Q］👤は自分の名前を言っているのであり、「意見や報告」をしているのではない。したがって、bは間違い。

POINT　「申す」や「申し上げる」には、「話す」の謙遜の意味もある。この場合は「申し上げる」のほうが丁寧。
　○ 私が部長に、電車で行ったほうが早いと申しました。
　○ 私が部長に、電車で行ったほうが早いと申し上げました。

例文

① 👤：急用ができまして、明日は田中と申す者が伺わせていただきます。
　👤：わかりました。お待ちしています。

② 👤：これは何ですか。
　👤：それは「茶せん」と申しまして、*茶道で使う道具でございます。
　*茶道：

③ 👤：社長には何度も申し上げましたが、賛成していただけませんでした。
　👤：（部長）そうか、仕方がないな。

練習

次の（　）のa、bのうち、文の内容に合うほうを選びなさい。

❶ 👤：父も👤さんにお目にかかりたいと（a. 申して　b. 申し上げて）おりました。
　👤：そうですか、私もぜひ、お目にかかりたいです。

❷ 山の上り下りの*境目を「峠」と（a. 申し　b. 申し上げ）ますが、病気やけがなどが、その時を境によくなったり悪くなったりするときにも使う言葉です。
　*境目：境になるところ。「境」は区切り、区切りの線。

❸ 👤：弟さんのお名前は？
　👤：はい、太郎と（a. 申し　b. 申し上げ）ます。

❹ 👤：（a. 申します　b. 申し上げます）。ただ今、連絡が入りまして、交渉は成立したとのことです。
　👤：そうか。報告、ありがとう。

❺ 真実をお話ししようと思いながら、（a. 申す　b. 申し上げる）機会もないまま、別れてしまいました。

（Qの答え：a）

75 お疲れさま　ご苦労さま

Q 👤は先生、👥はその生徒です。👥はa、b、cのどれを使えばいいですか。

　👤：それでは、今日の授業はこれで終わります。
　👥：先生、(a.お疲れさまでした　b.ありがとうございました　c.ご苦労さまでした)。

どちらも相手の苦労や努力を*ねぎらう言葉。「ご苦労さま」は「相手への感謝の気持ち」を含むが、「お疲れさま」にはそれはない。

*ねぎらう：相手の努力や苦労に対して、「よく頑張りましたね」「大丈夫ですか」「よく休んでください」などの気持ちで接したり言葉をかけたりすること。

お疲れさま	ご苦労さま
1「お疲れさま」は、仕事を終えた人に対して使う、日常的な決まり言葉。	1「ご苦労さま」は、自分（たち）が依頼した仕事をしてくれた人に対して使う、日常的な決まり言葉。程度の差はあるが、感謝の気持ちを含む表現。
2 目上の人に対しても使えるが、その仕事が話し手のためにしたものであれば、使えない。 ○ 部長、出張、お疲れさまでした。 × 部長、ご説明、お疲れさまでした。	👤：こんにちは！　ご注文のピザ、お届けに来ました。 👥：ありがとう。暑いのにご苦労さま。
3 [Q]では、👤は👥のために授業をした（仕事をした）ので、「お疲れさま」は使えない。	2「ご苦労さま」は、基本的に、自分より下の立場の者に向けられる言葉。したがって、目上の人には使えない。 × 課長、会議、ご苦労さまでした。
4「お疲れさま」は、会社などで、同僚が自分より早く退社するときの挨拶表現として日常的に使う。 👤：お先に失礼します。 👥：お疲れさまでした。	3 [Q]👥は目下になるので、「ご苦労さま」は使えない。 4「ご苦労さま」は、部下や後輩、サービスを依頼した会社などによく使う。

POINT ①　Qでは、授業は「させるもの」ではなく、「してもらうもの」ととらえるのが自然。直接感謝の気持ちを表すbは正しい。

POINT 2 特に会話では、「ま」が「ん」になった言い方をよくする。
- ○「お先に失礼します」「お疲れさん」
- ○ これ、持ってきてくれたんだね。ご苦労さん。

例文

① 👤：ただいま。今日は暑くて、外を回るのも大変だったよ。
　👤：社長、お疲れさまでした。今、冷たいお茶を入れますので。

② 👤：ABCスーパーです。ご注文の品をお届けに参りました。
　👤：ご苦労さま。いつもこんな上の階まで持ってきてもらって助かるわ。

③ 👤：今日で、とうとう会社勤めも最後か……。
　👤：あなた、長い間、お疲れさまでした。

練習

次の下線部の言葉の使い方が正しい場合は○、正しくない場合は×を下のらんに書きなさい。

❶ 👤：やっと今日、A社と契約したよ。交渉を始めてから3カ月もかかったけどな。
　👤：そうですか。さすが部長ですね。お疲れさまでした。

❷ 👤：書類ミスの件、部長には私のほうから謝っておいたから心配するな。
　👤：わたしのために、ご苦労さまです。どうもありがとうございました。

❸ 👤：課長、書類の用意ができましので、今から先方に届けてきます。
　👤：ご苦労さま。よろしく頼むよ。

❹ 👤：会長さん、皆さんお集まりになっていますので、一言ご挨拶を。
　👤：え〜、今日は、暑い中、町内ごみゼロ運動のために集まっていただき、ご苦労さまです。

❺ 👤：こんにちは。お庭の桜、見事に咲きましたね。いつもお手入れご苦労さまです。
　👤：いや、楽しみでやっているものですから。

❶	❷	❸	❹	❺

(Qの答え：b)

161

まとめの問題

1 次の（　）のa、bのうち、文の内容に合うほうを選びなさい。

❶ 👤：明日、朝、早いんでしょ。早く寝（a. ないと　b. なくて）寝坊しちゃうよ。
　👤：わかってるけど、（a. つい　b. 思わず）テレビを見ちゃうんだよなあ。

❷ 👤：朝ご飯、コーヒーだけ（a. でないと　b. だと）力出ないよ。何か食べたほうがいいよ。
　👤：うーん、でも、朝は（a. 何となく　b. 何気なく）食欲がなくて……。

❸ 👤：あっ、部長、お帰りなさいませ。（a. ご苦労さま　b. お疲れさま）でした。
　👤：ただいま。え〜と、A社から見本が届いている（a. っけ　b. かな）。確認してくれる？

❹ 👤：子供の（a. うちに　b. あいだに）思いっきり遊ばせるほうがいいんだって。
　👤：そうそう。（a. さらに　b. しかも）、自然の中でね。

❺ 👤：どうでしたか、南の島の新婚旅行は？
　👤：妻は楽しんでいましたけど、ぼくには耐え（a. がたい　b. にくい）暑さでした。

❻ 彼は本当に優秀ですからね。将来はきっと、立派な学者になるに（a. 違いないです　b. 決まっています）よ。

❼ そのホテルなら、泊ったことがありますよ。安いわりには、料理もサービスも（a. まあまあ　b. ほどほど）で、悪くないと思いますよ。

❽ お酒は（a. そこそこ　b. ほどほど）にしておかないと、体をこわすよ。

❾ 資料は、1人1部（a. ごと　b. ずつ）取ってください。

❿ 先生には何から何までお世話になり、感謝（a. にたえません　b. にしのびません）。

⓫ 貼り紙をして注意している（a. にもかかわらず　b. ものの）、ルールを守らない人がいる。

⓬ 誰かが窓を開け（a. っぱなし　b. どおし）にするから、寒くなってきたよ。

第1回

2 次の左と右の文をつないで、正しい文にしなさい。

❶風邪を引いたおかげで　　　　　　　　　　ア．真夏のような暑さになった。

❷町に出たついでに　　　　　　　　　　　　イ．何もわかってないみたいだね。

❸バスを待っていて、何気なく　　　　　　　ウ．どうぞ召し上がってください。

❹100名様にバッグをプレゼント。さらに　　エ．ぼくにはどうせわからないよ。

❺こんな本を借りたところで　　　　　　　　オ．デパートでも寄っていこう。

❻溶けないうちに　　　　　　　　　　　　　カ．退屈な会議に出ずにすんだ。

❼大人になるとともに　　　　　　　　　　　キ．頭が割れるように痛いんだ。

❽梅雨が明けたとたん、　　　　　　　　　　ク．責任感も出てくるよ。

❾話をずっと聞いていたわりに　　　　　　　ケ．抽選で1名様にハワイ旅行が当たります。

❿調子に乗って飲みすぎたせいで　　　　　　コ．駅の方を見たら、先生がいた。

3 次の（　）に入る言葉を{ }のa～cから1つずつ選びなさい。

❶興味がない（　　　　　）が、最近の若い歌手については全然知らないんだ。

❷朝から何も食べてないんだよ。食べない（　　　　　）じゃないか。

❸しっ！ 聞こえない（　　　　　）から、小さい声で話したほうがいいよ。

❹好きなんだから、デートに誘われてうれしくない（　　　　　）でしょ。

❺こんなに熱があるのよ。仕事になんか行ける（　　　　　）でしょ。今日は休みなさい。

❻家事を半分ずつにしたいという（　　　　　）けど、もう少し手伝ってほしい。

❼今日は車で来ているんだから、お酒なんか飲める（　　　　　）じゃないか。

❽派手な生活をしている人が、お金を持っている（　　　　　）。

{ a. とは限らない　　b. わけがない　　c. わけではない }

まとめの問題

1 次の（　）のa、bのうち、文の内容に合うほうを選びなさい。

❶ 毎日、残業（a. ばかり　b. だらけ）で疲れがたまっちゃうよ。おかげで掃除もできないから、部屋もほこり（a. ばかり　b. だらけ）になるし……。

❷ 👤：今日は（a. 何となく　b. 何気なく）体がだるいんです。
　 👤：風邪を（a. ひきかけている　b. ひきそうな）んじゃない？　早めに帰ったほうがいいよ。

❸ 👤：おなかが空いたから、ラーメンでも作ろうかな。
　 👤：じゃ、ついでに（a. 私のも作って　b. 洗濯しようか）。

❹ 👤：あの二人、嫌いになったわけでもないのに、どうして別れるの？
　 👤：本人じゃないんだから、（a. わかるわけない　b. わかるどころではない）でしょ。

❺ 👤：この本棚、組み立ててくれない？　どこを探しても説明書がないの。
　 👤：え〜、説明書（a. なしで　b. ぬきに）できるかなあ。

❻ 旅行の費用が足りないから、親にちょっと借りようとしたら、貸してくれる（a. どころか　b. ばかりか）、怒鳴り返されたよ。

❼ 2階の奥にあったのは、レストラン（a. どころじゃない　b. なんてものじゃない）、ただの小さな古い食堂だった。

❽ 募金は目標額を超え（a. つつあります　b. ています）。あともう少しです。頑張りましょう。

❾ もう9時!?　（a. こうしては　b. こうせずには）いられない。早くここを出ないと。

❿ この店では、足のサイズや形（a. に応じて　b. とともに）さまざまなデザインの靴が用意されている。

⓫ この絵、子供が描いたにしては（a. 上手　b. 下手）だね。

⓬ これ、1万円のワインなの？　（a. なるほど　b. さすがに）、うまいわけだ。

2 次の（　）に合うひらがなを｛　｝から1つずつ選びなさい。

❶ ：いらないものはどんどん捨てたいけど、捨てにくいものも結構あるよね。
　：ある、ある。子供が小さい頃のものとか、捨てる（　）しのびないよね。

❷ ：スポーツクラブに通いはじめたんだって？
　：うん。最初はきついだけだったけど、5回（　）くらいから楽しくなってきたよ。

❸ ：このお店の家具って、なんか優しい感じがして好きだなあ。
　：うん、あたたか（　）のあるデザインだよね。

❹ ：今日、具合が悪かったんじゃない？　言ってくれたら代わってあげたもの（　）。
　：はい……でも、来週休むから、今、休みを取りたくなかったもの（　）。

❺彼は山が好きで、国内ばかり（　）、海外の山も登っているみたいだよ。

❻ちゃんと計ってみないと、重（　）はわからない。

｛　か　が　さ　つ　で　に　み　め　を　｝

3 次のa、bのうち、正しいほうを選びなさい。

❶ ：今度、旅行に行くのに、カメラを買わないといけなくて。
　：カメラなら　a. 私にも貸して。
　　　　　　　　b. 私のを使うといいよ。

❷ ：しかたなかったんでしょ。事情を詳しく説明したら？
　：だめだよ。そんなことをしたら、a. もっと怒られかねないよ。
　　　　　　　　　　　　　　　　　b. 許してくれかねないから。

❸帰ろうとしたら、社長にコピーを頼まれちゃって。おかげで　a. デートに遅刻したよ。
　　　　　　　　　　　　　　　　　　　　　　　　　　　　　b. デートに間に合ったよ。

❹ここは駅から近くて買い物には便利ながらも、a. うるさくてちょっと住みにくい。
　　　　　　　　　　　　　　　　　　　　　　b. 静かでとても住みやすい。

❺あの学生、試験の点数がいいわりに、a. 日本語があまり話せないね。
　　　　　　　　　　　　　　　　　　b. 日本語がかなり上手だね。

まとめの問題

1 次の（　）のa、bのうち、文の内容に合うほうを選びなさい。

❶ :沖縄では友達に会えたの？
　:うん。家に招いてくれた（a. とたん　b. ばかりか）、一日中、車で案内してくれたよ。

❷ :彼のこの作文、（a. めったに　b. ほとんど）間違ってない。ずいぶん上達したなあ。
　:変ねえ。こっちのは間違い（a. まみれ　b. だらけ）なんだけど。

❸ :忙しい（a. くせに　b. のに）、わざわざ来てくれてありがとう。
　:今日は割と暇だったから。曜日に（a. よっては　b. 応じて）ものすごく忙しいけどね。

❹ :私、今日のパーティー、彼に会いたくないから、行くのやめておくわ。
　:でも、彼、忙しいって言ってたし、（a. 来るとは　b. 来ないとは）限らないよ。

❺ :結局、あの英文の意味はわからないの？
　:そういう（a. わけがない　b. わけではない）んだけど、どう訳せば自然かと思って……。

❻ 高齢者（a. 向け　b. 向き）の施設もあるけど、祖母とは一緒に住みたいんです。だから今、一般のマンションで高齢者（a. 向け　b. 向き）のところを探しているんです

❼ 昨日見た映画、よかったよ。あんなに（a. 泣くなり笑うなり　b. 泣いたり笑ったり）したのは久しぶり。

❽ 去年より事故の数が減ったとはいえ、（a. まだまだ多い　b. そんなに多くない）です。

❾ 今日は会社の人と外で食べて（a. 行く　b. 帰る）ことにしたよ。

❿ ストーブを（a. つけっぱなし　b. つけどおし）で寝たらだめだよ。ちゃんと消してね。

⓫ 今日は道が凍っていて、すごく運転（a. しがたかった　b. しにくかった）よ。

⓬ 今回の展示会では、開催期間（a. にわたって　b. をとおして）女性客が目立った。

第3回

2 次の（　）に合うひらがな2字を、下の｛　｝から1つずつ選びなさい。

❶ 1列に並ぶと列が長くなってしまうから、2人（　　　）2列に並びましょう。

❷ コーヒーはいつも、砂糖（　　　）で、クリームだけ入れて飲みます。

❸ 今でも、昔飼っていた犬のことを思い出す（　　　）に涙が出てくるんです。

❹ 昨日、何年（　　　）かで、高校時代の友達に会った。

❺ これは各駅停車だから、一駅（　　　）に止まります。急ぐなら急行をご利用ください。

❻ このトレーニングを1日（　　　）に続けると、効果的です。

｛　おき　　ごと　　ずつ　　たび　　なし　　ぬき　　ぶり　｝

3 次の（　）に合う動詞を、①〜⑤はAから、⑥〜⑩はBから1つずつ選びなさい。

❶ このプロジェクトも、少しずつ動き（　　　）います。

❷ 長時間ゲームをし（　　　）いたら、目が赤くなっちゃった。

❸ 👤：例のバスツアー、申し込んだ？
　👤：あ、申込用紙、出し（　　　）る！　どうしよう、まだ間に合うかなあ。

❹ 👤：ABCバンドのコンサートのチケット、買った？
　👤：それが……並ぶの遅くなって、買い（　　　）しまったんだよ。

❺ 厳しい試合だったが、何とか1点を守り（　　　）勝った。

A｛　ぬいて　　そこねて　　つづけて　　のがして　　はじめて　　わすれて　｝

❻ 今回、作品賞をいただくことができたのは、みんなで力を合わせて一つのものを作り（　　　）成果だと思っています。

❼ 👤：昨日のスピーチ、うまくいった？
　👤：途中で声が震え（　　　）時は焦ったけど、何とか最後まで話したよ。

❽ 今日も残業？　あんまり仕事を抱え（　　　）らだめだよ。ほどほどにね。

❾ その番組、見るつもりだったのに、見（　　　）よ。再放送しないかなあ。

❿ この木は、うちの先祖が何代にもわたって守り（　　　）木なんです。

B｛　あげた　　おうじた　　こんだ　　だした　　つづけた　　のがした　｝

●著者

岡本牧子（おかもと　まきこ）　大阪 YWCA 非常勤講師

氏原庸子（うじはら　ようこ）　大阪 YWCA 講師

DTP	朝日メディア
レイアウト	ポイントライン
カバーデザイン	滝デザイン事務所
イラスト	白須道子
翻　　訳	Darryl Jingwen Wee／王雪／崔明淑
編集協力	高橋尚子

くらべてわかる 中級日本語表現文型ドリル

平成24年（2012年）　3月10日　　初版第1刷発行
平成31年（2019年）　2月10日　　　第3刷発行

著　者　岡本牧子・氏原庸子
発行人　福田富与
発行所　有限会社　Jリサーチ出版
　　　　〒166-0002　東京都杉並区高円寺北 2-29-14-705
　　　　電話　03(6808)8801(代)　FAX 03(5364)5310
　　　　編集部　03(6808)8806
　　　　http://www.jresearch.co.jp
印刷所　株式会社シナノ パブリッシング プレス

ISBN 978-4-86392-098-9　　禁無断転載。なお、乱丁、落丁はお取り替えいします。
Ⓒ Okamoto, Ujihara 2012 Printed in Japan

くらべてわかる　中級日本語表現文型ドリル

問題の答えと
語句の訳

Answers to questions and
translations of words and phrases

問題的答案和语句翻译

문제의 답과　어구 번역

問題の答え

練習

1. ①b ②a ③a ④b ⑤a ⑥b
   ⑦b ⑧a ⑨b ⑩a

2. ①①思い ②忘れ ③疲れ ④あせり
     ⑤太り
   ②①a ②a ③a ④a ⑤b ⑥b
     ⑦a ⑧b ⑨b ⑩a

3. ①b ②a ③b ④b ⑤a ⑥b,b

4. ①b ②b ③a ④a

5. ①b ②a ③b ④a ⑤a ⑥b

6. ①a ②a ③b ④a ⑤a ⑥b

7. ①①○ ②× ③× ④○ ⑤○
   ②①a ②a ③b ④a

8. ①×／買っていこう ②寄っていく ③×
   ④借りていこう

9. ①a ②b ③a ④a ⑤a

10. ①a ②a,b ③a ④a

11. ①a ②b ③b ④a ⑤a ⑥b

12. ①a ②a ③a ④a ⑤a

13. ①b ②a ③b ④c ⑤c

14. ①○ ②○ ③× ④○ ⑤○ ⑥○
    ⑦×

15. ①そこなっ ②わすれ ③そこなっ
    ④そこなっ ⑤のがし ⑥のがし

16. ①a ②b ③a ④a ⑤b

17. ①①a/b,a ②a ③a/b,a
    ②①b ②a ③a ④a ⑤a

18. ①a ②b ③b ④b ⑤a

19. ①b ②a ③b ④a ⑤b

20. ①b ②a ③a ④a ⑤a ⑥a

21. ①b ②a ③a ④a ⑤a

22. ①a ②a ③b ④a ⑤a ⑥b,a

23. ①a ②a ③a ④b

24. ①b ②a ③b ④a ⑤b

25. ①a ②a ③b ④a ⑤a ⑥a

26. ①b ②b ③a ④b ⑤b

27. ①a ②a ③b ④b ⑤a

28. ①治らない ②おいしくない ③わかる
    ④持って(い)ない ⑤読める

29. ①b ②a/b ③a ④b ⑤a/b
    ⑥b

30. ①b ②a ③b ④a ⑤b

31. ①a ②a ③b,a ④a ⑤a ⑥a

32. ①b ②b ③a ④a ⑤a

33. ①a ②a ③b ④b

34. ①a ②b ③a/b,b ④b ⑤b
    ⑥a,a/b

35. ①①(1)b (2)a ②(1)a (2)b
      ③(1)a (2)b ④(1)b (2)a
      ⑤(1)b (2)a
    ②①a ②a ③b

36. ①b ②a ③b ④b ⑤a ⑥b

37. ①a ②b ③a ④a ⑤a

38. ①b ②a ③a ④a ⑤a ⑥a
    ⑦a ⑧a ⑨a ⑩b

39. ①a ②b ③b ④b ⑤a

40. ①a ②b ③a ④b ⑤b

41. ①a ②a ③b ④a ⑤b ⑥b

42. ①a ②a ③b ④a ⑤b

43. ①a ②b ③b ④a ⑤b

44. ①①b,a ②a,b ③a,b ④b,a
      ⑤a,b
    ②①b ②a ③b ④b ⑤a

45. ①a ②a/b ③a/b ④a

46. ①落としても割れません。
    ②電話をしても誰も出ません。
    ③探しても(かぎが)見つかりません。
    ④雨が降っても試合をし(やり)ます。／して(やって)います。
    ⑤謝ったところで許してもらえないよ。
    ⑥タクシーに乗った(で行った)ところで、もう

間に合いません。

47 ①a ②a ③a,b ④a／b

48 ①b ②a ③b ④a ⑤a

49 1 ①b ②b ③a ④b ⑤b ⑥a
　　　2 ①(○)知っている……。
　　　　②(○)彼は少ししか……。
　　　　③(○)大学生の

50 1 ①b ②a ③a ④a
　　　2 ①b ②a ③a

51 ①b ②a ③a ④b ⑤b ⑥a

52 ①かかってきたせいで／乗り遅れた
　　　②食べたせいで／痛くなった
　　　③勉強したおかげで／100点だった
　　　④飲んだせいで／寝られ(眠れ)なかった
　　　⑤働いたせいで／病気になった

53 ①a ②a ③b ④a ⑤b ⑥a

54 ①a ②b,b ③a ④b ⑤a

55 ①a,a ②b,b ③a,a ④b,b

56 ①a ②a,b ③a,b ④a

57 ①b ②a ③a ④b

58 ①b ②a ③b ④a

59 ①a ②a ③a ④a ⑤b ⑥a

60 ①a ②a ③a ④b ⑤a ⑥b

61 ①b ②b ③a ④a ⑤a

62 1 ①(○)高性能だ。
　　　　②(○)毎日プールで……。
　　　　③(○)時間を……。
　　　　④(○)服装は……。
　　　2 ①a ②a ③a ④a ⑤a

63 ①a ②a ③b ④b ⑤b

64 ①b ②a ③b ④a ⑤b,a ⑥a
　　　⑦b ⑧b

65 ①a ②a ③b ④a ⑤a

66 ①a ②b ③a ④b ⑤a

67 ①a ②a ③b ④a,a ⑤a ⑥a
　　　⑦a

68 ①b ②a ③b ④a

69 ①b ②b ③b ④a ⑤b ⑥b

70 ①a ②b ③a ④a／b

71 ①a ②b ③b ④b ⑤a ⑥a

72 ①b ②a ③b ④a ⑤b ⑥a
　　　⑦b ⑧a

73 ①a ②a ③b ④b ⑤b ⑥a

74 ①a ②a ③a ④b ⑤b

75 ①○ ②× ③○ ④○ ⑤×

まとめの問題

第1回

1 ①a, a ②b, a ③b, b ④a, b
　⑤a ⑥a ⑦a ⑧b ⑨b ⑩a
　⑪a ⑫a

2 ①カ ②オ ③コ ④ケ ⑤エ ⑥ウ
　⑦ク ⑧ア ⑨イ ⑩キ

3 ①c ②b ③a ④b ⑤b ⑥c
　⑦b ⑧a

第2回

1 ①a, b ②a, a ③a ④a ⑤a
　⑥a ⑦b ⑧a ⑨a ⑩a ⑪a
　⑫a

2 ①に ②め ③み ④を, で ⑤か ⑥さ

3 ①b ②a ③a ④a ⑤a

第3回

1 ①b ②b, b ③b, a ④a ⑤b
　⑥a, b ⑦b ⑧a ⑨b ⑩a ⑪b
　⑫b

2 ①ずつ ②ぬき ③たび ④ぶり ⑤ごと
　⑥おき

3 ①はじめて ②つづけて ③わすれて
　④そこねて ⑤ぬいて ⑥あげた
　⑦だした ⑧こんだ ⑨のがした
　⑩つづけた

語句の訳

説明文によく使われる言葉

※あいうえお順

語句	訳
□ 表す	to express／表达／나타내다
□ 言い換える	別な言葉、表現にかえる。
□ 意見	opinion／意见／의견
□ 意志	will, volition／意志／의지
□ 一部	part (of something)／一部分／일부
□ 一般的(な)	normal／一般的／일반적인
□ 意図(する)	to intend to／意图／의도
□ 依頼(する)	to commission／依赖／의뢰
□ 印象	impression／印象／인상
□ 影響(する)	to influence／影响／영향
□ 置き換える	(同じ意味や結果になるように)一部を別の言葉にかえる。
□ 抑える	to suppress／控制／억누르다
□ 仮定(する)	assumption／假定／가정
□ 可能性	possibility／可能性／가능성
□ 感想	impressions, thoughts／感想／감상
□ 慣用的(な)	customary／惯用的／관용적인
□ 基準	standard, criteria／基准、标准／기준
□ 基本的(な)	basic／基本的／기본적
□ 義務	duties／义务／의무
□ 強調(する)	to emphasize／强调／강조하다
□ 継続(する)	continuation／继续／계속
□ 行為	action, behavior／行为／행위
□ 肯定(する)	to affirm／肯定／긍정
□ 行動	action, behavior／行动／행동
□ 異なる	to be different／不同／다르다
□ 事実	truth／事实／사실
□ 事情	circumstances／事情／사정
□ 事態	situation／事态／사태
□ 重点を置く	to place emphasis on／放置重点／중점을 두다
□ 状態	condition／状态／상태
□ 推量(する)	estimate, guess／推测／추측
□ 性質	disposition／性质／성질
□ 成立(する)	formation／成立／성립
□ 全体	the whole／全体／전체
□ 対象	object, target／对象／대상
□ 立場	standpoint／立场／입장
□ 単に	simply／仅／단순히
□ 調子	condition／状况／상태
□ 程度	degree／程度／정도
□ 適している	to be suitable／适应／적합하다
□ 適当(な)	appropriate／适当的／적당한
□ 動作	motion／动作／동작
□ 内容	content／内容／내용
□ ～に基づく	to be based on／基于～／～에 근거하다
□ ニュアンス	nuance, implication／语感／뉘앙스
□ 話し手	speaker／说话人／화자
□ 範囲	scope／范围／범위
□ 判断(する)	to make a judgment／判断／판단
□ 反応(する)	to react／反应／반응
□ 被害	damage／受害／피해
□ 否定(する)	to deny／否定／부정
□ 評価(する)	to assess／评价／평가
□ 含む	to include／包含／포함하다
□ 不自然(な)	unnatural／不自然的／부자연스러운
□ 負担(する)	burden／负担／부담
□ 不適当(な)	inappropriate／不适当的／부적당한
□ 文脈	context／文脉、前后文／문맥
□ ポイント	important point, focus／重点／포인트
□ マイナス(する)	minus／负面／마이너스
□ 予想(する)	to predict, anticipate／预想／예상
□ 量	volume／量／양
□ レベル	level／水平／수준
□ 話題	topic, subject／话题／화제

※以下はユニット順(01～75の課の順)

01 A向きだ A向けだ

- [ ] セキュリティ　安全であること。
- [ ] 初心者(しょしんしゃ)　習い始めで、まだあまり上手でない人。
- [ ] 淡い(あわい)　pale／淡的,浅的／연하다
- [ ] 成人(せいじん)　adult／成人／성인
- [ ] 欧米(おうべい)　ヨーロッパとアメリカ、カナダ(※オーストラリアとニュージーランドを含むこともある)。
- [ ] 左ハンドル(ひだり)　ハンドルが左側にある、海外の車のこと。
- [ ] 店頭(てんとう)　店先。実際の店。
- [ ] 体力(たいりょく)　体の基礎的な力
- [ ] 高齢者(こうれいしゃ)　年齢が高い人、お年寄り。

02 Aがちだ Aぎみだ

- [ ] ～に関する(かん)　～についての。
- [ ] 普段(ふだん)　いつも。
- [ ] 傾向(けいこう)　trend／倾向／경향
- [ ] 割合(わりあい)　ratio／比例／비율, 제법
- [ ] ためらう　to hesitate／犹豫／망설이다
- [ ] 血圧(けつあつ)　blood pressure／血圧／혈압
- [ ] 塩分(えんぶん)　物の中に含まれる塩の量。
- [ ] 控える(ひかえる)　あまり食べたり飲んだりしないようにする。
- [ ] 肌(はだ)　skin, complexion／皮肤／피부
- [ ] ビタミン　vitamin／维生素／비타민
- [ ] 不足(する)(ふそく)　to lack／不足／부족
- [ ] とる(野菜を～)(やさい)　to get／摄取／섭취하다
- [ ] 宴会(えんかい)　feast, banquet／宴会／연회
- [ ] 食生活(しょくせいかつ)　毎日の食事の取り方や内容。
- [ ] 乱れる(みだれる)　to be disturbed, irregular／杂乱／흐트러지다
- [ ] 興奮(する)(こうふん)　to get excited／兴奋／흥분
- [ ] 切れ目(きれめ)　切れている部分。
- [ ] 浮かす(うかす)　(下に着かないように)少し持ち上げる。

- [ ] 換気(する)(かんき)　空気を入れかえる。

03 Aがたい Aにくい

- [ ] 衆議院(しゅうぎいん)　House of Representatives／众议院／국회의원
- [ ] 解散(する)(かいさん)　to dissolve／解散／해산

04 Aにくい Aづらい

- [ ] 子犬(こいぬ)　こどもの犬。
- [ ] 能力(のうりょく)　ability／能力／능력
- [ ] 機能(きのう)　function／功能／기능
- [ ] 感覚(かんかく)　sense／感覚／감각
- [ ] 物理的(な)(ぶつりてき)　physical／物理的／물리적인
- [ ] 素材(そざい)　material／素材／소재
- [ ] 心理的(な)(しんりてき)　psychological／心理的／심리적인
- [ ] 抵抗(する)(ていこう)　resistance／抵抗／저항
- [ ] 障害(しょうがい)　obstacle／障碍／장해
- [ ] 離婚(する)(りこん)　divorce／离婚／이혼
- [ ] 早口(はやくち)　しゃべり方が早いこと。
- [ ] 雑音(ざつおん)　必要でない(うるさい)音。

05 Aはじめる Aだす

- [ ] 名詞(めいし)　noun／名词／명사
- [ ] 後半(こうはん)　second half／后半／후반
- [ ] 力強い(ちからづよい)　powerful, strong／力量强大的／힘차다
- [ ] 溜まる(たまる)　to accumulate, pile up／累积／쌓이다
- [ ] 留まる(とどまる)　to come to a stop／停留, 待／멎다
- [ ] 冒頭(ぼうとう)　(文章、話、会などの)最初の部分。
- [ ] 歌い出し(うただし)　歌の最初の部分。歌い始めること。
- [ ] 機能(きのう)　function／功能,机能／기능
- [ ] 前半(ぜんはん)　first half／前半／전반
- [ ] 後半(こうはん)　second half／后半／후반
- [ ] 攻める(せめる)　to attack／攻击／공격하다
- [ ] 仕組み(しくみ)　plan, plot／结构,构造／구조
- [ ] 気取る(きどる)　to affect, put on airs／摆架子／체하다
- [ ] 渋滞(じゅうたい)　congestion／交通堵塞／정체
- [ ] 競技場(きょうぎじょう)　stadium／竞技场／경기장
- [ ] 各々(おのおの)　それぞれ。
- [ ] 場内(じょうない)　on the grounds／运动场内／장내

06 Aつづける　Aとおす

- シーズン　season／季节／시즌
- 暮れる　to get dark／日暮,天黑／저물다
- 自動詞　intransitive verb／自动词／자동사
- 南極　south pole／南极／남극
- 温暖化　地球の平均気温が上がること。
- 維持(する)　to maintain／维持／유지
- 無意志　lacking in purpose／无意识／무의지
- 停電(する)　blackout／停电／정전
- 江戸時代　Edo period／江戸時代／에도시대
- 和菓子　日本風のお菓子。
- 伝統　tradition／传统／전통
- 製法　method, process／制法／제법
- 悲惨(な)　tragic／悲惨的／비참한
- 無実　innocent／无辜／사실이 없음
- 吠える　to bark／叫,吼／짖다
- 優秀　excellence／优秀／우수
- 信念　belief, faith／信念／신념
- 貫く　to persist, stick to／贯穿／관통하다

07 Aつつある　Aている

- 現場　(事故などが)実際に起きた場所や、(作業などを)実際に行う場所。
- レポーター　reporter／报告者／리포터
- 進行　物事が進むこと。
- 株価　stock prices／股票行市／주가
- 病状　病気の状態。
- 徐々に　少しずつ。
- 回復(する)　悪い状態から元に戻る。
- 普及率　diffusion rate／普及率／보급률

08 Aていく　Aてかえる

- 本来　essentially, originally／本来／본래
- 意識(する)　to be conscious of／意识／의식
- 居酒屋　気軽に酒と料理が楽しめる店。
- 和菓子　日本風のお菓子。
- 入会金　会に入るときに払う金。
- キャンパス　campus／校园／교정

09 Aばかり　Aだらけ

- 足の踏み場もない　部屋などが散らかっていて、普通に立つこともできない。
- 奨学金　scholarship／奖学金／장학금
- 誤字　字を間違えること。間違った字。
- めでたい　auspicious／可喜可贺的／경사스럽다

10 Aまみれ　Aだらけ

- 泥　mud／泥土／진흙
- 両者　両方。
- 感覚的(な)　intuitive／感觉上的／감각적인
- 表面　surface／表面／표면
- 覆う　cover／覆盖／덮다
- 浸み込む　to permeate／浸入／스며들다
- ポテトチップ　potato chips／土豆片／감자칩
- せんべい　米などを使った日本の焼き菓子。
- 冗談　joke／玩笑／농담
- 職場　workplace／职场／직장
- 集中(する)　to concentrate／集中／집중
- 抽象的(な)　abstract／抽象的／추상적
- 嫌気がさす　嫌な気持ちを感じる。
- 創作(する)　to create／创作／창작
- 入り込む　中に入っていく。深いところに入る。
- しわ　wrinkle／褶子／주름
- 座席　seat／座位／좌석
- カバー　cover／罩子／커버
- 物語る　あるまとまった話をする。
- タンス　chest of drawers／柜子／장롱
- ほこり　dust／灰尘／먼지
- 誤字　字を間違えること。間違った字。
- タンカー　tanker／油轮／탱커
- 海鳥　主に海で生活する鳥。
- 党　party／政党／당
- 法案　法律の案。
- 国民　citizen／国民／국민
- 掲示板　bulletin board／布告栏／게시판

□ 信用(する)しんよう	to trust／信用／신용	

11　Aこむ　Aあげる

□ 完成(する)かんせい	to complete／完成／완성
□ 磨くみが	to polish／磨练／닦다
□ 鍛えるきた	to train／锻炼／단련하다
□ 代表(する)だいひょう	to represent／代表／대표
□ ショック	shock／打击／쇼크
□ 職人しょくにん	craftsman／工匠,匠人／장인
□ 技わざ	technique／技艺／기술
□ 限度げんど	limit／限度／한도
□ 達するたっ	to attain／达到／도달하다
□ 炊くた	to cook, boil／煮／짓다
□ 当日とうじつ	the appointed day／当天／당일
□ 新人しんじん	newcomer／新人／신인
□ 情景じょうけい	spectacle, sight／情景／정경
□ 対策たいさく	measure／対策／대책
□ 練るね	よく考え工夫して、いいものにしていく。
□ プロジェクト	project／计划／프로젝트
□ 目的もくてき	objective／目的／목적
□ 先人せんじん	昔の人。
□ 伝統文化でんとうぶんか	traditional culture／传统文化／전통문화
□ 報告書ほうこくしょ	report／报告书／보고서
□ まとめる	ばらばらのものを整理して一つにする。
□ 飼い主かぬし	(その)ペットを飼っている人。
□ 我慢強いがまんづよ	patient, perseverant／忍耐力强／참을성이 많다
□ 面接(する)めんせつ	to interview／面试／면접
□ 打ち込むう こ	熱中する、熱心に取り組む。
□ 編むあ	to knit, braid／编织／짜다

12　Aにしのびない　Aにたえない

□ 国会こっかい	National Diet／国会／국회
□ 議員ぎいん	Diet member／议员／의원
□ 国民こくみん	citizen／国民／국민
□ 悪口わるぐち	insult／坏话／욕
□ 惜しいお	disappointing／可惜／아깝다
□ もったいない	そのものの価値を十分に出せず、(無駄に終わって)残念だ。
□ 校舎こうしゃ	学校の建物。
□ 現場げんば	(それが)実際に起こった場所、(それを)実際に行った場所。
□ 悲惨(な)ひさん	tragic／悲惨的／비참한
□ 掲示板けいじばん	bulletin board／布告栏／게시판
□ 傷つけるきず	to offend someone／伤害／다치게 하다
□ ～周年しゅうねん	anniversary／～周年／~주년
□ 念ねん	気持ち。
□ バンド	band／乐队／밴드

13　Aている(行って/来て/帰っている)

□ 足止めあしど	事故など突然起こった問題によって、移動ができなくなること。

14　Aかねない

□ 傾向けいこう	trend／傾向／경향
□ 望ましいのぞ	desirable／最理想的／바람직하다
□ 食品サンプルしょくひん	実際の料理に似せて作った見本。
□ 数値すうち	計算したり測ったりした結果の数字。
□ 宝くじたから	lottery／彩票／복권
□ 運うん	luck／运气,命运／운
□ クビ	会社(仕事)を辞めさせられること。

15　Aわすれる　Aそこなう　Aのがす

□ 網棚あみだな	電車の中にある、荷物を置く棚。
□ 肺ガンはい	lung cancer／肺癌／폐암
□ 健康診断けんこうしんだん	medical examination／健康检查／건강진단
□ レントゲン	x-ray／X射线／엑스선

16　Aぱなし　Aどおし

□ 放置(する)ほうち	to abandon／放置／방치하다
□ 遠足えんそく	excursion／远足,郊游／소풍
□ 換気(する)かんき	窓やドアを開けるなどして、空気を入れ替える。
□ 市長しちょう	mayor／市长／시장

□ 抗議(する)こうぎ	to object to／抗议／항의	
□ 鳴るなる	to ring／响、鸣／울리다	
□ 職員しょくいん	staff member／职员／직원	
□ 座席ざせき	seat／座位／좌석	
□ 無責任(な)むせきにん	irresponsible／没有责任心的／무책임한	
□ ポスター	poster／海报／포스터	

17　Aかける　Aそうだ

□ 段階だんかい	stage／阶段／계단
□ つぼみが膨らむふく	つぼみが開いて、花が咲きそうな状態になる。

18　Aぬく　Aきる

□ 過程かてい	process／过程／과정
□ 達成(する)たっせい	to accomplish／达成／달성
□ 徹底的にてっていてき	thoroughly／彻底地／철저히
□ 限界げんかい	limit／界限、范围／한계
□ 到達(する)とうたつ	to reach／达到／도달
□ 交渉(する)こうしょう	to negotiate／交涉／교섭
□ 粘るねば	to hold out／坚持、有耐性／끈기 있게 버티다
□ 大木たいぼく	大きな木。
□ コマーシャル	テレビやラジオで放送される広告。ほうそう こうこく
□ 耐えるた	to endure／忍耐／참다

19　Aかけ　A際きわ

□ 自覚(する)じかく	to realize, to be aware of／自知、认识到／자각
□ 網棚あみだな	電車の中にある、荷物を置く棚。でんしゃ なか にもつ お たな

20　Aっけ　Aかな

□ 予測(する)よそく	to predict／预测／예측
□ 推測(する)すいそく	to infer／推测／추측
□ あいまい(な)	ambiguous／暧昧／애매
□ 記憶(する)きおく	to memorize／记忆／기억
□ 季節はずれきせつ	季節に合っていないこと。
□ 講演会こうえんかい	lecture／讲演会／강연회

21　Aもので　Aものを

□ 実現(する)じつげん	to realize／实现／실현

22　Aに違いない　Aに決まっているちが　き

□ 着実にちゃくじつ	constantly／确实／착실히
□ 温暖化おんだんか	地球の平均気温が上がること。ちきゅう へいきんきおん あ
□ 巨大化きょだいか	物などが大きくなること。もの おお
□ 客観的(な)きゃっかんてき	objective／客观的／객관적
□ 主観的(な)しゅかんてき	subjective／主观的／주관적인
□ 確信(する)かくしん	confidence, conviction／确信／확신
□ 〜に至るいた	to result in, lead to／达到〜、得到〜／〜에 이르다
□ 学会がっかい	academic conference／学会／학회
□ 公的(な)こうてき	public／公家的, 公共的／공적인
□ 理論りろん	theory／理论／이론
□ 思い込みおも こ	そうだと決めて信じてしまうこと
□ 感情にまかせるかんじょう	深く考えずに、自分が思ったとおりに発言したり行動したりする。ふか かんが じぶん おも はつげん こうどう
□ コントロール	control／控制／컨트롤
□ 雪山ゆきやま	snowy mountains／雪山／설산
□ 進出(する)しんしゅつ	to advance, expand／进入／진출
□ 腹黒いはらぐろ	心の中で悪いことを考えているような様子。こころ なか わる かんが ようす
□ 生き残るい のこ	ほかのものがなくなっても、残ること。のこ
□ 合併するがっぺい	to merge／合并／합병하다
□ 順調じゅんちょう	問題なく進む様子。もんだい すす ようす
□ 不景気ふけいき	recession／不景气／불경기
□ 大発見だいはっけん	大きな発見。おお はっけん
□ 新種しんしゅ	植物などの、新しい種類。しょくぶつ あたら しゅるい

23　Aとは限らない　Aないとは限らないかぎ　かぎ

□ 一方いっぽう	meanwhile／另一方面／한편
□ 料理長りょうりちょう	chef／厨师长／요리장
□ 自然災害しぜんさいがい	natural disaster／自然灾害／자연재해
□ 備えそな	何かのときのために、準備しておくこと。なに じゅんび
□ 炊飯器すいはんき	rice cooker／电饭锅／밥솥

24 Aてはいられない　Aずにはいられない

- □ 雰囲気（ふんいき）　atmosphere／气氛／분위기
- □ 太鼓（たいこ）　drum／大鼓／북
- □ じっと(する)　体や目を動かさないでいること。
- □ 対照的(な)（たいしょうてき）　contrast／对比鲜明／대조적인
- □ 精神的(な)（せいしんてき）　spiritual, emotional／精神的／정신적인
- □ 肉体（にくたい）　(心に対して)体。
- □ まぶしい　dazzling／刺眼的／눈부시다
- □ 家電製品（かでんせいひん）　household appliance／家电产品／가전제품
- □ チェック(する)　確かめる、調べる。
- □ 黙る（だまる）　to keep quiet／沉默／입을 다물다
- □ ぶらぶら(する)　とくに目的もなく散歩すること。
- □ 運命（うんめい）　fate／命运／운명
- □ ボリュームがある　(量が)多い。
- □ ご機嫌(な)（きげん）　機嫌がいい。
- □ サンバ　samba／桑巴舞／삼바

25 Aわけがない　Aわけではない

- □ 訂正(する)（ていせい）　to correct／订正／정정
- □ 助詞（じょし）　particle／助词／조사
- □ 省く（はぶく）　to omit, eliminate／省略／생략하다
- □ 期限（きげん）　deadline／期限／기한
- □ 一般論（いっぱんろん）　prevailing view／一般说法／일반론
- □ 節約(する)（せつやく）　to save／节约／절약
- □ 省略(する)（しょうりゃく）　to abbreviate／省略／생략하다
- □ 困難(な)（こんなん）　difficult／困难的／곤란
- □ 行列（ぎょうれつ）　queue／队伍、行列／행렬
- □ 厳しい（きびしい）　tough, severe／严厉的／엄하다
- □ 政治家（せいじか）　politician／政治家／정치가
- □ 自信満々（じしんまんまん）　自信が十分あること。
- □ 選挙（せんきょ）　election／选举／선거
- □ 当選(する)（とうせん）　to be elected／当选／당선
- □ 確実(な)（かくじつ）　certain, reliable／确实的／확실한
- □ 確率（かくりつ）　probability／概率／확률
- □ 同級生（どうきゅうせい）　同じクラス、または同じ学年の生徒。
- □ 雷（かみなり）　thunder／雷电／천둥

26 Aないわけがない　Aないわけでもない

- □ 二重否定（にじゅうひてい）　重ねて否定すること。
- □ 完全否定（かんぜんひてい）　そのすべてを否定すること。
- □ トップクラス　top, top-class／最高层、最高级／톱 클래스
- □ 断定(する)（だんてい）　to conclude／判断／단정
- □ 味見(する)（あじみ）　どんな味か、実際に確認すること。
- □ ワンピース　dress, one-piece／连衣裙／원피스

27 Aわけではない　Aないわけではない

- □ 断言(する)（だんげん）　to assert／断言／단언하다
- □ 食が進む（しょくがすすむ）　(食欲が出て)食事が進む。
- □ 強烈(な)（きょうれつ）　strong, severe／强烈的／강렬한
- □ 引き受ける（ひきうける）　to accept, take on／接受／맡다
- □ 立場（たちば）　standpoint／立场／입장

28 Aわけがない　Aないわけがない

- □ 二重否定（にじゅうひてい）　重ねて否定すること。
- □ 紛らわしい（まぎらわしい）　confusing, misleading／不易分辨的／혼동하기 쉽다
- □ 取り違える（とりちがえる）　to take by mistake／弄错、误会／이해하다
- □ 宇宙人（うちゅうじん）　alien／外星人／우주인
- □ シェフ　chef／厨师长、西餐馆的烹饪长／주방장
- □ 最高級（さいこうきゅう）　最高レベル、最高クラス。
- □ 話題になる（わだい）　多くの人の関心を集める。

29 Aどころではない　Aなんてものではない

- □ 設備（せつび）　equipment, facilities／设备／설비
- □ 余裕（よゆう）　scope, flexibility／富裕、充裕／여유
- □ 借金(する)（しゃっきん）　金を借りること、借りた額。
- □ 返済(する)（へんさい）　返すこと。
- □ 追われる（おわれる）　しなければならないことが多く、ほかのことができない。
- □ 被害（ひがい）　damage／受害／피해
- □ 総額（そうがく）　すべてを合わせた金額。
- □ 最悪（さいあく）　最もひどいこと。

☐ 恩師(おんし)	昔、とてもお世話になった先生。	☐ 頭が真っ白になる(あたま ま しろ)	
☐ 雑音(ざつおん)	必要でない(うるさい)音。		緊張などで、言うことを忘れたり、何も考えられなくなったりする。

30　Aないこともない　Aないこともある

☐ 素敵(な)(すてき) 　wonderful, fantastic／美丽的,漂亮的／멋진

31　AからBまで　AからBにかけて

☐ 接近(する)(せっきん)	近づく。
☐ 地点(ちてん)	その場所。
☐ 時点(じてん)	そのとき。
☐ 発展的(な)(はってんてき)	constructive／发展的／발전적인
☐ 周辺(しゅうへん)	surroundings／周边／주변
☐ 指先(ゆびさき)	fingertip／指尖／손가락끝
☐ しびれる	to become numb／麻木／저리다
☐ 冷え込み(ひ こ)	気温がひどく下がること。寒さが厳しくなること。
☐ 明け方(あ がた)	夜が明けようとする頃。
☐ ブランド	brand／品牌／브랜드
☐ 軍隊(ぐんたい)	army, troops／军队／군대
☐ 平和(へいわ)	peace／和平／평화
☐ 頂上(ちょうじょう)	山の一番高いところ。
☐ 初雪(はつゆき)	その冬、初めて雪が降ること。また、その雪。

32　AうちにB　AあいだにB

☐ 幅(はば)	width／幅度／폭
☐ 好み(この)	preference／喜好／희망
☐ 手数料(てすうりょう)	commission／手续费／수수료
☐ チャレンジ(する)	to take on the challenge of／挑战／도전
☐ ジム	sports gym／体育馆、练习场／헬스클럽
☐ 花壇(かだん)	flower bed／花坛／화단

33　AたとたんB　A次第B(しだい)

☐ 予期(する)(よき)	forecast／预期／예기
☐ 定員(ていいん)	決められた人数。
☐ 最悪(さいあく)	最もひどいこと。
☐ 舞台(ぶたい)	stage／舞台／무대

☐ 手術(する)(しゅじゅつ)	operation／手术／수술
☐ 発表(する)(はっぴょう)	to announce／发表／발표
☐ セミ	cicada／蝉／매미
☐ 幽霊(ゆうれい)	ghost, spirit／幽灵／유령

34　A(する)とB　A(し)てB

☐ ほっと(する)	to feel relieved／放心了／겨우 안심(하다)
☐ 条件(じょうけん)	condition／条件／조건
☐ 光栄(な)(こうえい)	to be honored／光荣的／영광인
☐ 懐かしむ(なつ)	to feel nostalgic／想念,思念／그리워하다

35　AにあたってB　A前(まえ)にB

☐ ビジネスマン	businessman／公司职员／비즈니스맨
☐ 心構え(こころがま)	mental attitude／思想准备／마음의 준비
☐ 硬い(かた)	stiff／强硬的,死板的／딱딱하다
☐ 現地(げんち)	(訪問先などの)実際の場所。
☐ 予防注射(よぼうちゅうしゃ)	preventive injection／预防针／예방주사
☐ 創立(する)(そうりつ)	学校や会社などを新たにつくること。
☐ 開催(する)(かいさい)	to hold／召开／개최
☐ 舞台(ぶたい)	stage／舞台／무대
☐ 衣装(いしょう)	costume／服装／의상
☐ 手術(する)(しゅじゅつ)	operation／手术／수술
☐ 血圧(けつあつ)	blood pressure／血压／혈압
☐ 援助(する)(えんじょ)	aid, assistance／支援／원조

36　Aかと思(おも)うとB　AたとたんにB

☐ 展開(てんかい)	development, twist／开展／전개
☐ 同様(どうよう)	ほとんど同じであること。
☐ 直結(する)(ちょっけつ)	(間にほかのものが入らないで)直接結びつく・関係すること。

37 AついでにB　AがてらB

- 年賀はがき　　New Year's greetings postcard／賀年卡／연하장
- 主目的　　主な目的。
- 事柄　　matter／事情、事态／사항
- 結びつき　　connection, relation／联系／연결
- 捉える　　to take, to see／抓住、掌握／붙잡다
- 兼ねる　　to combine with／再加上／겸하다
- 投票所　　polling place／投票站／투표소

38 Aた上でB　Aた上にB

- 手順　　物事を進める順番。
- 強まる　　勢いなどの程度が強くなる。
- 流れ　　flow, sequence／流程／흐름
- 予約制　　(病院や店などで)予約してからサービスを受けること。
- 来院　　病院に来ること。
- 買い取る　　誰かが持っているものを買って自分のものにする。
- 実物　　実際の物。
- 検討(する)　　to consider, examine／商量／검토
- 恐縮(する)　　to apologize, be obliged／惶恐、不好意思／황송
- 健康を害する　　体の状態を悪くする。病気になる。
- たたむ　　to fold／折叠／접다
- 受診(する)　　診察(医者にみてもらうこと)を受ける。
- 審査(する)　　investigation, review／审查／심사
- シール　　sticker／塑料貼条／실
- 弊社　　私の会社。
  ※謙譲表現(自分を低く扱った言い方)。
- 発送(する)　　郵便物や荷物を送る、出す。
- 観客　　viewer, audience／观众／관객
- 大幅に　　substantial／大幅度地／대폭으로
- 上回る　　to surpass／超过／상회하다
- 専門家　　expert／专家／전문가

39 Aに応じてB　AとともにB

- 美容　　beauty／美容／미용
- クリーム　　cream／面霜／크림
- 衰える　　to become weak, decline／衰退／약해지다
- 肌　　skin, complexion／皮肤／피부
- 効果的(な)　　effective／有效果的／효과적인
- 作用(する)　　action, function／起作用／작용
- 予算　　budget／预算／예산
- 好み　　preference／喜好／희망
- 接近(する)　　近づく。
- 税金　　tax／税／세금
- 収入　　income／收入／수입
- 税率　　tax rate／税率／세율
- 通学(する)　　学校に通うこと。
- 原則禁止　　prohibited in principle／原则禁止／원칙금지
- 洪水　　flood／洪水／홍수
- 被害　　damage／受害／피해
- 相当(な)　　かなりの。
- 政府　　government／政府／정부
- 見舞金　　病気や事故などでつらい思いをした人に贈るお金。
- 支給(する)　　to give out, issue／支付／지급
- 具体的(な)　　concrete／具体的／구체적인
- 明らかになる　　知られるようになる。

40 AしかもB　AさらにB

- 追加(する)　　to add／追加／추가
- 付け足す　　to add to／附加／덧붙이다
- 効果　　effect／效果／효과
- 重ねる　　さらに上に乗せる。
- 活躍(する)　　to play an active role／活跃／활약
- 転職(する)　　仕事を変えること、勤めるところを変えること。
- 国立　　national, state／国立／국립

41 AによってはB　Aに応じてB

- イベント　　event／活动／이벤트
- ～次第　　depending on／看～而定／~대로
- 対応(する)　　to deal with, support／对应／대응
- 比較(する)　　to compare／比较／비교

☐ 整理(する) せいり	to tidy up, put in order／整理／정리하다	
☐ 態度 たいど	attitude／态度／태도	
☐ 用法 ようほう	使い方。	
☐ 大量生産 たいりょうせいさん	mass production／大量生产／대량생산	
☐ 手段 しゅだん	means／手段／수단	
☐ 根拠 こんきょ	basis, foundation／根据／근거	
☐ 主体 しゅたい	subject／主体／주체	
☐ 症状 しょうじょう	symptom／症状／증상	
☐ 進路 しんろ	course, route／前途，去路／진로	
☐ 栄養 えいよう	nutrition／营养／영양	
☐ 器具 きぐ	何かをするための道具、簡単な機械。	
☐ 体格 たいかく	(骨や肉がどのようであるか、などの)体のつくり。	
☐ 時給 じきゅう	hourly wage／时间／시급	
☐ 見直し みなおし	それでいいか、もう一度考えること。	
☐ 成果 せいか	results／成果／성과	
☐ 要望(する) ようぼう	to demand, request／要求，期望／요망	

㊷ AといえどもB　AとはいえB

☐ 高価(な) こうか	high-priced／高价的／고가인	
☐ 大いに おお	greatly／非常／매우	
☐ プライバシー	privacy／隐私／프라이버시	
☐ 尊重(する) そんちょう	to respect／尊重／존중	
☐ 創業〜年 そうぎょう ねん	学校や会社ができてから〜年経ったこと。	
☐ 価値 かち	value／价值／가치	
☐ 最新型 さいしんがた	一番新しい形、デザイン。	
☐ 保証書 ほしょうしょ	certificate／保证书／보증서	

㊸ AにしてはB　AにしてもB

☐ 納得(する) なっとく	understanding／认可／납득	
☐ むしろ	rather／反而／오히려	
☐ 限度 げんど	limit／限度／한도	
☐ 不動産 ふどうさん	real estate／房地产／부동산	
☐ 最高級 さいこうきゅう	first-class, top grade／最高级别／최고급	
☐ 人ごみ ひと	人が混んでいること。また、そのような場所。	

㊹ AどころかBも　AばかりかBも

☐ ボーナス	bonus／奖金／보너스	
☐ 減額(する) げんがく	金額が減ること。	
☐ 打ち消す う け	to deny／否定／부정하다	
☐ 満員電車 まんいんでんしゃ	packed train／挤满人的电车／만원전차	
☐ 監督 かんとく	coach／教练／감독	
☐ 退場(する) たいじょう	会場や舞台から去ること。	
☐ 通行止め つうこうど	(交通規則で)車などが通るのを禁止すること。	
☐ 宿 やど	泊るところ。	
☐ 奥地 おくち	都市や海岸から遠く離れた地域。	
☐ 恐縮(する) きょうしゅく	to apologize, feel obliged／对不起, 过意不去／황송	
☐ 評判 ひょうばん	criticism／评价／평판	

㊺ AばかりでなくBも　AばかりかBも

☐ 働きかける はたら	(ある目的のため)関係のあるところに対して行動をする。	
☐ 地球温暖化 ちきゅうおんだんか	地球の平均気温が上がること。	
☐ 北極 ほっきょく	north pole／北极／북극	
☐ シロクマ	white bear／北极熊／백곰	
☐ 絶滅(する) ぜつめつ	to become extinct／灭绝／절멸	
☐ 危機 きき	crisis／危机／위기	
☐ 原子力発電 げんしりょくはつでん	nuclear power generation／核电,原子能发电／원자력발전	
☐ 処理(する) しょり	捨てたり片づけたりすること。	
☐ コスト	cost／成本／코스트	
☐ 不満 ふまん	dissatisfaction／不满,抱怨／불만	
☐ 理論的(な) りろんてき	theoretical／理论性的／이론적	
☐ 実践的(な) じっせんてき	practical／实践性的／실천적	
☐ 宝石 ほうせき	jewel／宝石／보석	
☐ 家電 かでん	家庭用の電気製品。	
☐ 制限(する) せいげん	to limit／限制／제한	

㊻ AたところでB　AてもB

☐ 逆接 ぎゃくせつ	contradictory conjunction／逆接／역접	
☐ 消極的(な) しょうきょくてき	negative, conservative／消极的／소극적인	
☐ 意向 いこう	intention, idea／意向／의향	

☐ 制限(する) せいげん	to limit	／制约、限制／제한
☐ 熱帯夜 ねったいや	夏の、気温が下がらない暑い夜。	

47　AかぎりB　AからにはB

☐ クラス会 かい	昔のクラスの仲間と集まること。	
☐ 自ら みずか	自分。	
☐ 覚悟(する) かくご	resolution, readiness	／精神准备／각오
☐ 引き受ける ひう	to take on	／接受／떠맡다
☐ 警報 けいほう	warning	／警报／경보

48　AならB

☐ 助言(する) じょげん	アドバイスをすること。	
☐ 提案(する) ていあん	proposal	／提议／제안
☐ 人手 ひとで	手伝ったり働いたりする人の数。	

49　AくせにB　AのにB

☐ 態度 たいど	attitude	／态度／태도
☐ 生意気(な) なまいき	brash, insolent	／高傲的／건방진
☐ 好感 こうかん	(人などに対する)よい感じ、いい印象。	
☐ 主体 しゅたい	subject	／主体／주체
☐ 配慮(する) はいりょ	to consider	／关怀、照顾／배려
☐ 客観的(な) きゃっかんてき	objective	／客观的／객관적
☐ 距離を置く きょり お	相手との付き合いを避けたり減らしたりすること。	
☐ 指摘(する) してき	to point out	／指出、指摘／지적
☐ 文末 ぶんまつ	文の最後の部分。	
☐ 実現(する) じつげん	to achieve	／实现／실현
☐ 知らん顔をする し かお	自分には関係ないという態度をとる。関わろうとしない。	
☐ 非難(する) ひなん	to blame	／责难、责备／비난
☐ 結果を出す けっか だ	いい結果を示すこと。	

50　AわりにB　AくせにB

☐ 三つ星 みぼし	星の数でその店の評価を表したもので、三つ星は最高の評価(五つ星の場合もある)。	
☐ 一流 いちりゅう	top, leading	／一流／일류
☐ あきれる	to be astounded	／发呆、吓愣／기막히다

☐ 素材 そざい	material	／素材／소재

51　AにもかかわらずB　AもののB

☐ 初戦 しょせん	最初の戦い、試合。	
☐ 逆接 ぎゃくせつ	contradictory conjunction	／逆接／역접
☐ 登山 とざん	mountain climbing	／登山／등산
☐ 遭難(する) そうなん	to go missing, be stranded	／遇难、遇险／조난
☐ 郊外 こうがい	suburb	／郊外／교외
☐ 景気 けいき	economic climate	／景气／경기
☐ 回復(する) かいふく	悪い状態から元に戻る	
☐ 音楽家 おんがくか	音楽を専門とする人(特に、クラシック)。	
☐ 手作り てづく	機械などを使わないで、人の手で作る。	
☐ 悪天候 あくてんこう	雨や風が強いなど、天気が悪いこと。	
☐ 承る うけたまわ	客からの注文や質問などを聞く。(頼まれたときなどに「承りました」の形で)わかりました。	

52　Aせい(でB)　Aおかげ(でB)

☐ 責める せ	to blame	／责备／비난하다
☐ 後悔(する) こうかい	to regret	／后悔／후회
☐ ほっと(する)	to be relieved	／放下心了／겨우 안심
☐ びしょびしょ	雨などの水にひどく濡れた様子。	
☐ 余計(な) よけい	unnecessary, superfluous	／多余的／쓸데없는
☐ 延長になる えんちょう	to be extended	／延长／연장하다
☐ 商売 しょうばい	business, commerce	／买卖／장사
☐ 冷夏 れいか	cool summer	／冷夏／냉하
☐ 夏物 なつもの	夏に使う物。特に、夏に着る服。	
☐ 家電 かでん	家庭用電気製品。	
☐ 言葉遣い ことばづか	言葉の使い方。	

53　AことでB　AことからB

☐ 単なる たん	mere, just	／仅仅、只不过／단순한
☐ 不注意 ふちゅうい	注意が足りないこと。	
☐ 外交 がいこう	diplomacy	／外交／외교
☐ 雨漏り あまも	leak in a roof	／漏雨／비가 샘

54 AなりBなり　AたりBたり

- 促す（うながす）　to urge, prompt／催促／재촉하다
- 進路（しんろ）　path, route／前途, 去路／진로
- 定める（さだめる）　to decide, determine／制定, 规定／정하다
- 放っておく（ほう）　to let it be／搁, 置之不理／방치하다
- びしょびしょ　雨などの水にひどく濡れた様子。
- 好きにしろ（す）　自分のしたいようにすればいい。
  ※子供の勝手な行動に対して言うことが多い。
- 取引先（とりひきさき）　取引の相手。
- 訪問（する）（ほうもん）　to visit／访问／방문
- 展示会（てんじかい）　exhibition／展示会／전시회
- 打ち合わせ（うあ）　business meeting／接洽, 商谈／협의
- 体を動かす（からだうご）　運動したり出かけたりする。

55 Aわ、Bわ　Aし、Bし

- 半額（はんがく）　普通の金額の半分。
- 勢い（いきお）　force, vigor／声势, 势头／기세
- 迷惑（な）（めいわく）　bother, nuisance／麻烦的／성가신
- プラス（する）　plus／正面／플러스
- 快適（な）（かいてき）　pleasant／舒适的／쾌적한
- 状況（じょうきょう）　situation／状况／상황
- 稼ぐ（かせ）　to earn an income／赚钱／벌다
- 職場（しょくば）　会社や工場など、仕事をする場所。
- 休日出勤（きゅうじつしゅっきん）　休みの日に会社などに出ること。
- 親戚（しんせき）　relatives／亲戚／친척
- 停電（ていでん）　blackout／停电／정전

56 AずつB　AごとにB

- ラベル　label／标签／라벨
- 分野（ぶんや）　field／领域／분야
- 展示（する）（てんじ）　to display／展示／전시
- 施設（しせつ）　institution／设施／시설
- 花壇（かだん）　flower bed／花坛／화단
- カラフル（な）　colorful／绚丽多彩的／컬러풀한

57 AおきにB　AごとにB

- まとまり　cohesion／统一的, 系统的／통합
- 間隔（かんかく）　interval／间隔／간격
- すなわち　namely／即／즉
- 距離（きょり）　distance／距离／거리
- 数量（すうりょう）　volume／数量／수량
- 区切り（くぎ）　demarcation, divider／段落, 界限／매듭
- 複数（ふくすう）　plural, multiple／复数／복수
- 原稿用紙（げんこうようし）　writing paper／稿纸／원고용지
- 段落（だんらく）　paragraph／段落／단락
- 警備（する）（けいび）　security／警备／경비
- 洋菓子（ようがし）　ケーキやクッキーなど、西洋風の菓子。
- 新作（しんさく）　新しい商品や新しい作品。
- 経営（けいえい）　management／经营／경영
- 儲かる（もう）　to yield a profit／赚钱／벌다
- 安定（する）（あんてい）　to be settled／安定／안정
- 収入（しゅうにゅう）　income／收入／수입
- 魅力（みりょく）　appeal, charm／魅力／매력
- 腫れる（は）　to become swollen／肿／붓다

58 AたびにB　AごとにB

- 主観的（な）（しゅかんてき）　subjective／主观的／주관적인
- 客観的（な）（きゃっかんてき）　objective／客观的／객관적인
- 区切り（くぎ）　break／段落／매듭
- 規則性（きそくせい）　regularity／规则性／규칙성
- 創立〜周年（そうりつしゅうねん）　(学校や会社などを)つくってから〜年。
- 盛大（な）（せいだい）　big, lavish／盛大的／성대한
- 健康診断（けんこうしんだん）　medical examination／健康诊断／건강진단
- ウィンドウショッピング　店先のショーウインドウ(商品見本を置いてあるところ)を見て回ること。

59 AにわたってB　Aを通してB

- 本館（ほんかん）　main building／本馆／본관
- 開催（する）（かいさい）　to hold／召开／개최
- 地域（ちいき）　area／地域, 区域／지역
- 中断（する）（ちゅうだん）　interruption／中断／중단
- 停止（する）（ていし）　止めること、止まること。
- 停電（ていでん）　blackout／停电／정전
- まとまり　cohesion／统一的, 系统的／통합

☐ 区切り	demarcation, divider／段落, 界限／매듭		☐ 環境	environment／环境／환경
☐ 単位	unit／单位／단위		☐ 保護(する)	to protect／保护／보호
☐ 気候	climate／气候／기후		☐ 両立(する)	二つの物事が問題なく成り立つ。
☐ 温暖(な)	warm, mild／温暖／온난			
☐ 主役	leading role／主角／주역		**61 AでないとB　AだとB**	
☐ 食材	料理の材料。		☐ すき焼き	肉や野菜を煮た日本の料理。
☐ 絵画	painting／绘画／회화		☐ スニーカー	軽い素材で作った運動用の靴。
☐ 彫刻	sculpture／雕刻／조각			
☐ 映像	video, film／图像, 映像／영상		**62 AながらもB**	
☐ 分野	field／领域／분야		☐ 文脈	context／文章的前后关系／문맥
☐ 展示(する)	to exhibit／展示／전시		☐ 行き届く	不足なく、細かいところまで注意がいく。
☐ トラブル	trouble／纠纷／트러블			
☐ 弁護士	lawyer／辩护律师／변호사		☐ ほこり	dust／灰尘／먼지
☐ 解決(する)	to resolve／解决／해결		☐ 高性能	high performance／高性能／고성능
☐ 並木	道路の両側などに、一列に並べて植えた木。		☐ 住み心地	実際に住んで感じる気分。
			☐ 威張る	to act big／逞威风, 自高自大／잘난 체하다
☐ コンクール	competition／竞赛／콩쿠르			
☐ 老後	年をとってから(の人生)。		**63 ついA　思わずA**	
☐ 年間	一年間。		☐ 講演会	lecture／讲演会／강연회
☐ 物価	cost of living／物价／물가		☐ 立ちあがる	座ったり寝たりしている状態から立つ。
☐ 劇場	theater／剧场／극장			
☐ 姿勢	posture, stance／姿势／자세		☐ 拍手(する)	to clap／拍手／박수
			☐ 無意識	unconscious／无意识／무의식
60 AなしでB　AぬきでB			☐ 避ける	to avoid／躲避／피하다
☐ 欠ける	to lack／欠缺／부족하다		☐ 不注意	注意が足りないこと。
☐ 単純に	simply／单纯／단순히		☐ 後悔(する)	to regret／后悔／후회하다
☐ 健康診断	health checkup／健康诊断／경강진단		☐ 反射的	reflexive／反射性的／반사적
☐ 保険	insurance／保险／보험		☐ 刺激(する)	to stimulate／刺激／자극
☐ 除く	to exclude／除去／제거하다		☐ 感動(する)	to be moved／感动／감동
☐ 本来	originally／本来／본래		☐ 身を乗り出す	体を前のほうに出す。
☐ 空いている	to be empty／空着的／비어 있다		☐ 手が出る	がまんできず、食べたり買ったりする。
☐ 堅い	solid／坚硬的, 牢固的／견고하다			
☐ ピクルス	pickles／酸菜, 泡菜／피클		☐ 同窓会	同じ学校の仲間が再び会うための会。
☐ わし	わたし。※年寄りの男性がよく使う。			
			☐ ジェットコースター	roller coaster／轨道飞车／제트코스터
☐ 生き返る	元気がなくなっていたものが、また元気になる。		☐ 叫ぶ	to shout, cry／惊叫／외치다
☐ 司会	host, presenter／主持人／사회			
☐ 休講	講義が休みになること。			
☐ 掲示板	bulletin board／布告栏／게시판			

64 わざわざA　せっかくA

- 励ます　　　　to encourage／鼓励／격려하다
- 手間がかかる　complex, time-consuming／耗费功夫／손이 가다
- 本来　　　　　originally／本来／본래
- 感心(する)　　to admire／佩服／감복하다
- あきれる　　　to be astounded／发愣、吓呆／기가 막히다
- 貴重(な)　　　valuable／贵重的／귀중한
- もったいない　そのものの価値を十分に出せず(無駄に終わり)、残念だ。
- 機会　　　　　opportunity／机会／기회
- 連休　　　　　休みの日が続くこと。
- ジーンズ　　　jeans／季节／청바지
- 譲る　　　　　to hand over, yield／谦让／양보하다

65 何となくA　何気なくA

- 主(な)　　　　main／主要的／주된
- 特徴　　　　　characteristics／特征／특징
- 気配　　　　　sign, hint／动静／낌새
- 雰囲気　　　　atmosphere／气氛／분위기
- 漠然と　　　　obscure, vague／漠然地／막연히
- 意識(する)　　to be aware of／意识／의식
- 無意識　　　　unconscious／无意识／무의식
- 気になる　　　to care about, worry for／在意／신경이 쓰이다
- 勇気　　　　　courage／勇气／용기
- 誘う　　　　　to invite／邀请／권유하다
- ウォーキング　運動として歩くこと。
- タレント　　　(英語のtalentから来る語だが、日本では)主にテレビの娯楽番組に出て仕事をする人。

66 さすがにA　なるほどA

- クール(な)　　感情的になったり周りに影響されたりしないで、常に落ち着いている様子。
- 相づち　　　　back-channel feedback／随声附和／맞장구

67 そこそこ　ほどほど　まあまあ

- 騒ぐ　　　　　to make merry／吵闹／떠들다
- 苦情　　　　　complaints／不满、抱怨／불만
- 一応　　　　　tentatively／大体、大概／일단
- ある程度　　　to some extent／某种程度／어느 정도
- 景気　　　　　economy, business condition／景气／경기
- 論文　　　　　thesis／论文／논문

68 めったにAない　ほとんどAない

- 割合　　　　　ratio／比率／비율, 제법
- 早口　　　　　しゃべり方が早いこと。
- ラッキー(な)　lucky／幸运的／행운인
- チャンス　　　chance／机会／기회

69 まだAない　まだAていない

- 前提　　　　　assumption／前提／전제
- 既に　　　　　already／已经／이미
- 手が離せない　そのことで忙しくて、ほかのことまでできない。

70 Aほど　Aばかり

- 感覚　　　　　sense／感觉／감각
- 若干　　　　　slightly／若干／약간
- 比較的　　　　relatively／比较／비교적
- 建設(する)　　to construct／建设／건설
- 費用　　　　　cost／费用／비용
- 体温　　　　　体の温度。
- 強調(する)　　to emphasize／强调／강조
- 健康診断　　　medical examination／健康诊断／건강진단
- 血圧　　　　　blood pressure／血压／혈압
- 数値　　　　　計算したり測ったりした結果の数字。
- ひと盛り　　　かごや皿などに乗せた一杯分。

71 Aぶり　Aめ

- 懐かしい　　　nostalgic／怀念，怀念／그립다

☐ 中断(する)	interruption／中断／중단	
☐ 再開(する)	再び始まること。もう一度始めること。	
☐ 普段	いつも。	
☐ 本来	originally／本来／본래	
☐ 遭難(する)	to go missing, be stranded／遇难、遇险／조난	
☐ 授かる	(命、子供など)お金で買えない大切なものを与えられる。	
☐ 訪れる	to visit／拜访／방문하다	
☐ 実家	故郷の家。一人で暮らすようになる前の家。	
☐ 夜を明かす	寝ないで朝を迎える。	
☐ 影響(する)	influence／影响／영향	

72　Aみ　Aさ

☐ 握る	ここでは「知る」という意味。	
☐ 有無	「あること」と「ないこと」。あるか、ないか、ということ。	
☐ ピーク	peak／高峰／피크	
☐ 設備	equipment／设备／설비	
☐ 整う	to be in place／整理、整齐／갖추어지다	
☐ 葬儀	人が亡くなったときに行う式。	
☐ ～に包まれる	その場の雰囲気が～でいっぱいになる。	
☐ カヌー	canoe／皮划艇／통나무배	
☐ 柿	persimmon／柿子／감	
☐ 渋い	astringent／苦涩的／떫다	
☐ 超える	to cross, exceed／超过／넘다	
☐ 追加(する)	addition／追加／추가	
☐ 天国	paradise／天国／천국	
☐ なぐさめる	to console／安慰／위로하다	

73　なんでもない　なんともない

☐ 物理的(な)	physical／物理的／물리적인	
☐ ダメージ	damage／损伤／손해	
☐ 言い合い	口げんか。互いに、自分の意見などを激しく言うこと。	
☐ プレゼン	presentation／提案、方案／프레젠테이션	
☐ 荷が重い	負担や責任が大きすぎる。	

☐ ロマンチック(な)	romantic／浪漫的／낭만적인	
☐ ブレーキ	brake／刹车／브레이크	

74　申す　申し上げる

☐ 謙遜(する)	humility, modesty／谦逊／겸손	
☐ 目上	自分より年が上の人や、先生・上司・先輩など自分より上の立場の人。	
☐ 境い目	境になるところ。	
☐ 境	border／分界、交界／경계	
☐ 交渉(する)	to negotiate／交涉、谈判／교섭	
☐ 成立(する)	formation／成立／성립	

75　お疲れさま　ご苦労さま

☐ 苦労(する)	to experience hardship／辛劳、受累／고생	
☐ 日常的(な)	everyday／日常的／일상적인	
☐ 目下	自分より年が下の人や、部下・後輩など、自分より下の立場の人。	
☐ 外を回る	会社などで、仕事の相手先などを訪ねて回ること。	
☐ 契約(する)	to sign a contract／契约、合同／계약	
☐ 交渉(する)	to negotiate／交涉、谈判／교섭	
☐ 書類	documents／文件／서류	
☐ 先方	相手、相手の方。※丁寧な言い方。	
☐ 手入れ	maintenance／保养／손질	

まとめの問題

第1回

- ☐ 食欲 — appetite／食欲／식욕
- ☐ 思いっきり — in abandon, as much as one likes／尽情地／마음껏
- ☐ 新婚旅行 — honeymoon／新婚旅行／신혼여행
- ☐ 耐える — to endure／忍耐／참다
- ☐ 優秀(な) — excellent／优秀／우수한
- ☐ 学者 — scholar／学者／학자
- ☐ 体をこわす — 体調を悪くする。病気になる。
- ☐ 貼り紙 — 何かを知らせたり注意したりするために、壁などに貼られる紙。
- ☐ ルール — 規則。
- ☐ 調子に乗る — やることがうまくいって、いい状態になり、勢いがつく。「軽い調子になりすぎて、よく考えていない様子」についても使う。
- ☐ 真夏 — 夏の一番暑いとき。
- ☐ 責任感 — 仕事など自分がするべきことを理解し、最後までしっかりやろうとする気持ち。
- ☐ 抽選 — drawing／抽签／추첨

第2回

- ☐ 残業(する) — overtime work／加班／잔업
- ☐ 怒鳴る — 大きい声で怒る。
- ☐ 募金(する) — donation／捐款／모집
- ☐ 事情 — circumstances／事情、原因／사정

第3回

- ☐ 上達(する) — progress／进步／숙달
- ☐ 高齢者 — 年齢が高い人。お年寄り。
- ☐ 施設 — institution／设施／시설
- ☐ ストーブ — stove／炉子／스토브
- ☐ 展示会 — exhibition／展示会／전시회
- ☐ 開催(する) — to hold／召开／개최
- ☐ プロジェクト — project／项目、计划／프로젝트
- ☐ 震える — to shiver／颤抖／흔들리다
- ☐ 残業 — overtime work／加班／잔업
- ☐ 先祖 — ancestors／祖先／선조
- ☐ ～代 — generation／～辈／~대